ROBESPIERRE

PAR JEAN RATINAUD

LE TEMPS QUI COURT
ÉDITIONS DU SEUIL

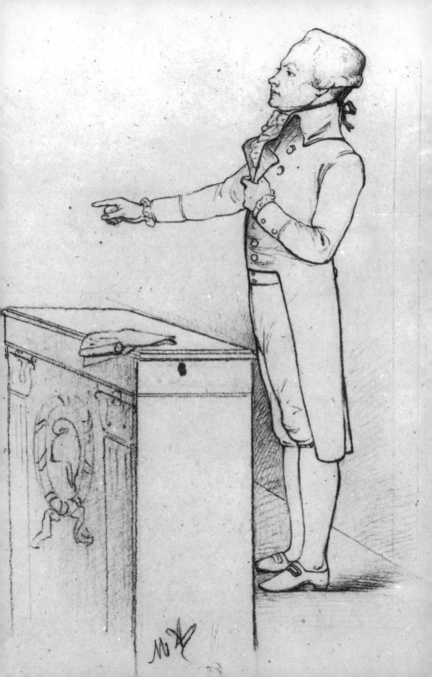

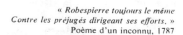

« Robespierre toujours le même
Contre les préjugés dirigeant ses efforts. »
Poème d'un inconnu, 1787

LE LÉVITE DE LA NATION

Mal éclairée par des quinquets à l'huile, la salle oblongue montrait de grands trous d'ombre. L'Assemblée siégeait, peu nombreuse. Comme à l'accoutumée, les bancs des patriotes étaient assez bien garnis. Par contre ceux des aristocrates, comme à l'accoutumée aussi, étaient presque déserts : les rares représentants qui s'y trouvaient, bavardaient, bourdonnaient, faisant des traits d'esprit pour les oreilles tendues et curieuses des tribunes. Guère plus de monde sur les travées où siégeaient les monarchiens, royalistes libéraux qui constituaient le « centre ».

Au-dessus de l'Assemblée, mal séparée d'elle, la foule habituelle des spectateurs. On ne se lassait point encore, en 1791, de la comédie gratuite donnée en permanence par la Constituante. Assistance brillante d'ailleurs. De paysans, point, naturellement, et d'ouvriers, d'artisans, à peine. Quelques gueules patibulaires : celles des soixante gorilles de service recrutés par le maire de Paris, Bailly, pour applaudir aux bons endroits. Payés, bien payés, pour claquer de leurs lourds battoirs. Ils ont reçu la mission de huer l'extrême-droite comme l'extrême-gauche, d'approuver non moins vigoureusement les amis de La Fayette. Des mercenaires de la

5

Révolution – de la Révolution modérée, belle absurdité qui n'a pu germer que dans la cervelle légère du « héros des deux mondes » [1] et des flatteurs qui font cortège à sa vaniteuse autorité. Partout ailleurs, des gandins de boulevard, des journalistes et surtout des dames. L'éternel contingent des péronnelles excitées par le contact avec les hommes et la chose publics. Il existe des précieuses de la Révolution, comme il existera plus tard des précieuses de Genève et des égéries d'assemblée. Mais le jeu alors coûtait plus cher qu'aujourd'hui. Cela risquait de se terminer par le froid baiser du couperet sur une jolie nuque blanche, ou encore un taudis, à Berlin ou à Londres, avec la perspective de remâcher, pendant des années, son passé, sa rancune, sans espoir et sans honneur, dans la colère et la faim.

On se montre la princesse de Hénin, la marquise de Chartenois, Mme de Coigny, Mme de Simiane, Mme de Beaumont promise au lit de Chateaubriand. Tout le faubourg Saint-Germain libéral. Tout le Gotha de la noblesse révolutionnaire. Celle qui a applaudi furieusement le cadet de Noailles, dans la nuit historique du 4 août 1789, lorsqu'il sacrifiait les droits des autres (il était lui-même ruiné) et le fol duc d'Aiguillon, bon cœur et tête légère. Mais, ce soir, tous les regards convergent vers la belle Mme de Chalabre. Elle sourit comme

une fiancée devant le promis. Ou comme une maîtresse de maison à sa première réception. Elle reçoit en effet d'une certaine manière, puisque son idole, l'élu de ses pensées, Maximilien Robespierre, député d'Arras, va parler. A chaque discours, chaque intervention de celui que, voilà quelques mois, on appelait méchamment la chandelle d'Arras pour l'opposer à Mirabeau, la torche de Provence, elle se trouve là, palpitante, anxieuse, comblée enfin lorsque crépitent les applaudissements. Elle-même joint discrètement son approbation à celle de l'Assemblée. On a des idées avancées mais on sait vivre, et se tenir. Les mauvaises langues donnent Mme de Chalabre pour maîtresse du Jacobin. Il n'en est rien. Il s'agit seulement d'une amitié amoureuse que Robespierre ignore encore ou méprise. Il suffit à Mme de Chalabre d'être dans cette salle grise, de voir son héros, de l'entendre. Ainsi l'on peut remarquer, les soirs d'été, quand sont ouvertes les fenêtres sur le jardin, les insectes de nuit s'approcher de la lampe qui les brûle.

Maximilien monte à la tribune avec calme, lenteur et presque majesté. Ce petit homme semble peser un poids extraordinaire. Il a, comme on dit, une présence. Rien de sautillant ni de léger. Rien d'un cabotin. On sent qu'il croit, non point sans doute en lui, Robespierre, mais en lui, le

représentant du Tiers, détenant une part, une parcelle de la souveraineté du peuple. Lorsqu'il parle du haut de la tribune, son visage revêt comme une sorte de beauté, celle que donne la foi lorsqu'elle se place au service de la raison. Aucune concession apparente cependant à l'art de l'orateur. Le visage, grêlé de petite vérole, demeure immobile, glacé. Le regard est fixe, le geste rare. De temps à autre, un mouvement bref du tranchant de la main. Comme un couperet qui tombe. Mais le discours est toujours, aujourd'hui comme hier, nourri de connaissances précises, de faits exacts. Le secret des chefs révolutionnaires réside dans le travail consciencieux de leur dossier. Travailler d'abord. Beaucoup travailler, ne rien laisser au hasard, à l'improvisation. Qui improvise en temps de trouble, peut emballer une foule s'il a reçu de la providence le don de la parole. Mais la gloire demeure alors fragile, éphémère. Le peuple n'aime pas les comédiens. Robespierre n'improvise pas. Il possède ses informateurs, admirablement renseignés, jusque dans les bureaux de la commune, les directoires de départements, les sections de vote, chez les Jacobins, mais aussi jusqu'aux conseils du roi et près des écritoires de Marie-Antoinette. Dans sa petite chambre d'étudiant, il recueille, collige les notes qui lui sont adressées, les examine, les range, les compare avec ses observations personnelles, feuillette *le Contrat social* et l'*Encyclopédie*, médite, compose, polit avec soin son texte. Travail d'abord. Il se sait inattaquable sur les faits comme sur les références. Le reste est affaire d'ancien élève des jésuites rompu au discours latin, d'ancien étudiant à l'École de droit exercé à la rhétorique. Subjuguée, l'Assemblée, presque unanimement hostile, écoute, ricane parfois ou s'exclame, mais écoute. Mme de Chalabre, tendue, montre un visage d'amante comblée...

Bien sûr, Robespierre a grandi déjà avec la Révolution et grandira avec elle jusqu'à ce qu'elle le dévore. Mais elle ne l'a point surpris dans le désarroi de l'esprit et du cœur. Il la prévoyait, l'espérait, et s'y était préparé depuis de longues années. Et tout en lui, d'une certaine manière, était calculé, pour la recevoir, l'utiliser, l'animer. D'abord parce qu'il était Robespierre, c'est-à-dire un homme qui se sentait capable d'action et désireux d'agir. Ensuite parce qu'il appartenait à une classe qui brûlait du désir de modifier la constitution de l'État et la place occupée par les différents ordres de la nation dans la vie publique.

Que Robespierre fût de souche et de goûts bourgeois ne peut être mis en doute. Sa famille, du côté paternel, appartient à une longue lignée de petite robe, comme on disait alors : procureurs, hommes de basoche, avocats, chevaliers de loi passionnés par métier pour la chicane, les subtilités du droit, mais aussi pour la rigueur de la pensée politique et l'autorité de l'État. Du côté maternel, Maximilien touchait à un autre canton de la bourgeoisie, celui des artisans et des marchands qui avaient pu se hausser jusqu'à la condition de patrons solidement établis : son grand-père était brasseur.

Cependant cette double lignée bourgeoise n'est pas exempte d'une fantaisie qui a durement marqué l'enfance de Robespierre. La mort d'abord est venue troubler gravement la vie de famille. A son cinquième enfant, la mère de l'Incorruptible ne s'est point relevée de ses couches. Maximilien vivra désormais sans être entouré par cette tendresse qui eût peut-être adouci un caractère naturellement grave. Ou, peut-être, cet étrange sérieux que ses contemporains notent chez lui dès l'enfance résulte-t-il du profond chagrin intime que cause la disparition de la mère. Le désarroi familial est encore augmenté d'ailleurs par l'étrange comportement de François Robespierre, le père. Celui-ci jusqu'alors avait montré, semble-t-il, des qualités sérieuses d'ordre, d'équilibre, bien que la naissance de Maximilien après seulement quatre mois de mariage ait souligné le non-conformisme de cet avocat très sollicité par les plaideurs d'Arras en Artois. Mais, après la mort de sa femme, François Robespierre semble avoir perdu la raison. Il fait des dettes, auprès de sa famille il est vrai, part pour l'Allemagne, en revient, repart, se livre à on ne sait quel trafic ou négoce, et finalement disparaît corps et biens, peut-être en Allemagne encore, ou bien aux Iles comme on disait, ou même en Amérique. Aucune trace de lui depuis lors ; aucune nouvelle [2].

La famille s'est alors partagée les enfants Robespierre.

9

Les tantes ont pris les filles, dont Charlotte qui conçoit déjà pour son frère Maximilien une admiration passionnée doublée d'une profonde tendresse. Le grand-père brasseur adopte les garçons et expédie Robespierre au collège de la ville. Celui-ci n'appartient pas à ces bandes d'enfants que l'on voit rire et crier dans les cours de récréation. Solitaire, renfermé, il refuse de se mêler aux rondes de ses camarades et à leurs jeux. Mais il travaille avec courage et opiniâtreté tant qu'un ami de la famille lui procure une bourse d'études pour le collège de Clermont, à Paris. Robespierre est alors âgé de onze ans.

Il demeurera au collège de Clermont jusqu'à l'âge de vingt-trois ans. D'abord comme élève, puis comme étudiant pensionnaire. Toute l'adolescence et les premières années de l'âge d'homme s'écouleront donc, pour Maximilien, entre les murs de cet établissement, plus tard appelé lycée Louis-le-Grand. Lorsqu'il en sortira, après douze fois douze mois, il ne lui restera que treize années pour devenir un avocat célèbre dans sa province, un député aux États Généraux, un leader politique, un chef de gouvernement, un proscrit destiné à la guillotine. Le destin de Robespierre sera seulement d'étudier et de combattre. Peu de sourires, peu de souvenirs dans cette vie de militant. Et combien brefs les instants de bonheur !...

Mme de Chalabre est une belle à laquelle Robespierre écrivit une lettre pour la féliciter de son civisme et qui l'invita à l'aller voir dans son salon du Faubourg. Les méchantes langues assuraient qu'il ne mit point longtemps à passer du salon à la chambre à coucher. Plus tard, au moment de la Terreur, elle se trouvait toujours auprès de lui. Mais les uns affirmèrent alors que Pitt et Cobourg l'avaient mandatée pour égarer de ses pernicieux conseils le génie de l'Incorruptible, alors que d'autres soutenaient qu'elle pourvoyait férocement la guillotine en dénonçant comme aristocrates et contre-révolutionnaires ceux-là mêmes qu'elle comptait naguère parmi ses meilleurs amis. Le fait est qu'on l'arrêta après la chute de son idole et qu'elle demeura une année en prison, accablant de lettres les nouveaux maîtres du régime et insultant la mémoire de celui dont elle avait voulu accaparer la tendresse et l'estime. Libérée enfin grâce à ses plaintes ou quelque puissante protection, elle disparut et personne n'en a plus ouï parler.

Ce jour donc où l'Assemblée constituante tenait séance de nuit, l'Incorruptible monta à la tribune avec cette lente gravité qu'on lui connaissait déjà. Il était habillé, ainsi qu'à l'ordinaire, de manière fort décente et presque élégante, avec un habit de couleur bleue qu'il affectionnait fort, la gorge serrée par un triple tour de dentelle blanche. En dentelles étaient aussi ses manchettes et son gilet à fleurs sentait son élégant. La culotte courte serrait, au-dessus du genou, des bas blancs bien tirés et les souliers s'ornaient de boucles d'argent bruni. Robespierre portait haut la tête et, malgré sa taille médiocre, paraissait presque grand par les efforts qu'il faisait pour demeurer digne. A ceux qui l'approchaient il ne semblait point alors d'esprit orgueilleux, mais d'allure fière et hautaine. Cette même fierté apparaissait aussi sur son visage large, aux pommettes saillantes, auquel il donnait toute l'impassibilité qu'il pouvait. Mais il avait des yeux faibles et il était difficile de rencontrer son regard vert qui clignotait. Il le protégeait par des lunettes teintées contre la lumière trop vive et contre les indiscrets. Certains disaient qu'il ressemblait à un chat. Cela n'apparaît point sur ses portraits.

Il commença son discours d'une voix grêle et criarde. Mais, comme à chacune de ses apparitions à la tribune, on oublia vite cette disgrâce pour seulement admirer la parfaite ordonnance du raisonnement que l'on sentait alimentée aux sources de la meilleure rhétorique.

C'est assurément au collège de Clermont que Robespierre a pris les utiles leçons de cette rhétorique qui envoûtait littéralement ses auditeurs. Avant lui, les maîtres de cet établissement célèbre avaient formé d'illustres élèves parmi lesquels Jean-Baptiste Poquelin, dit Molière et François-Marie Arouet, dit Voltaire. Le nouveau disciple ne paraissait pas inégal à ses devanciers. L'un de ses professeurs, plus

Robespierre enfant ▶
Robespierre en 1789 ▶

tard, devait le qualifier de « monstre » quand il était « naissant ». Élève studieux, appliqué, Maximilien suivait sans révolte tous les exercices exigés par la règle du collège, et même se livrait quotidiennement aux pieuses méditations qu'elle imposait. On l'estimait à ce point qu'il fut choisi pour adresser, en 1775, un compliment au roi et à la reine en visite rue Saint-Jacques. Il pleuvait ce jour-là et le jeune homme récita son texte, tête nue et à genoux dans la boue. Ce n'était pas particulière humilité : il suivait tout simplement la leçon du protocole, comme la suivait le roi qui l'entendit, impassible, sous l'ondée. Le souverain, sans doute assez impatient de se mettre à l'abri, et d'ailleurs, on le sait, passablement balourd, ne répondit rien et se contenta d'honorer le récitant par un regard de bonté. Certains historiens, parmi les plus grands, ont bâti sur cette anecdote de larges développements. Il est cependant peu vraisemblable qu'un jeune homme de dix-sept ans ait trouvé en lui-même suffisamment d'audace pour en remontrer au roi, en admettant d'ailleurs que Robespierre ne fût point alors loyaliste, comme on disait, et aussi que le compliment n'ait été rédigé avec l'aide de ses maîtres, peu enclins sans doute à l'opposition. Telle fut en tout cas la première rencontre entre celui que l'on nommait en 1789 le Père du peuple et celui qui demanda avec âpreté la tête du « tyran ». Le hasard joue parfois avec l'histoire.

Autre rencontre, mais non point de hasard. Robespierre avait lu avec passion Rousseau. Rien d'original certes dans ce goût pour la morale et pour la personne de Jean-Jacques : celui-ci était alors l'auteur à la mode, au vrai un pauvre homme traqué par la folie de la persécution. Il se cachait à lui-même bien plus qu'aux autres dans son ermitage de Montmorency et le snobisme du temps voulait que l'on se rendît en pèlerinage auprès de lui pour le voir, le toucher et, s'il était possible, l'entendre. Robespierre accomplit ce geste de dévotion à l'égard de son dieu. Il revint transporté d'émotion et l'on a encore bâti de merveilleux romans sur cette brève rencontre. Pure imagination, semble-t-il : Maximilien était seulement un individu dans la foule, à peine plus exalté que les autres pèlerins. Il eût fallu à Rousseau le don de prophétie pour le distinguer. Il eût fallu à Robespierre un signe pour être reconnu. Le jeune homme fut très vivement impressionné par cette rencontre, comme en témoigne cette invocation lyrique à l'auteur du *Contrat social* écrite de sa propre main : *Je t'ai vu dans tes derniers jours et ce souvenir est pour moi la source d'une joie orgueilleuse. J'ai contemplé tes traits augustes ; j'y ai vu l'empreinte des noirs chagrins auxquels t'avaient condamné les injustices des hommes.* Et encore : *Homme divin ! Bien jeune, tu m'as fait apprécier la dignité de ma nature et réfléchir aux grands principes de l'ordre social.*

Quant aux maîtres de Robespierre et à ses camarades, ils ont conservé sur lui un silence à peine troublé par l'abbé Proyart, sous-principal du collège, celui qui précisément le qualifia de monstre, et par les constantes allusions que fit à une amitié de jeunesse possible, mais non point certaine, Camille Desmoulins, futur agent du duc d'Orléans, futur lieutenant de Danton, futur polémiste du Vieux Cordelier et futur guillotiné par la grâce de Robespierre lui-même, qui demeura bien insensible, semble-t-il, à ces souvenirs d'adolescence comme aux liaisons politiques et intimes ultérieures. Nous savons seulement en réalité que Maximilien se contenta d'être un élève assidu et impécunieux au point de porter des habits froissés, des souliers percés qui l'empêchaient de profiter agréablement des heures de sortie.

Un boursier pauvre, courageux, orgueilleux, phénomène courant alors comme aujourd'hui. Aucun signe d'un destin particulièrement ignoble ou éclatant n'apparaissait clairement dans cette jeune existence.

Donc Robespierre commença son discours. Il attaquait avec violence la peine de mort que le Comité de Constitution proposait pour sauvegarder la sûreté de l'État contre les chefs d'éventuels rebelles à l'autorité du pouvoir législatif. Les membres de l'Assemblée l'écoutaient volontiers, car il disait des choses sensibles et le public, plus encore, était ému. Dans tous les discours du député d'Arras paraissait un mouvement tendre de l'âme qu'on lui connaissait depuis toujours. C'était en vérité Jean-Jacques qui semblait parler par sa bouche. Certains ont affirmé que, si l'on eût écouté ce soir-là

Maximilien, la France se fût épargné, plus tard, les horreurs sanglantes de la Terreur. D'autres, moins bien intentionnés à l'égard de l'Incorruptible, lui ont reproché de s'être servi des armes mêmes qu'il voulait alors enlever au fanatisme de l'État pour s'en faire les jouets de sa propre puissance. Combien difficilement s'écrit l'Histoire ! Encore peut-elle affirmer que Robespierre plaidait en véritable avocat avec toute la raison que donne le commerce habituel des lois, mais aussi tout le cœur d'un défenseur de l'innocence. Au reste il avait fait naguère un long et excellent apprentissage à Arras où sa réputation était immense.

Reçu bachelier en droit le 31 juillet 1780, licencié l'année suivante, Robespierre fut admis au conseil provincial d'Artois en novembre 1781. Le voilà donc de retour à Arras où il loge dans une petite maison de la rue du Saumon qu'il abandonnera bientôt pour un domicile plus vaste, plus confortable, rue des Jésuites. Il y mène la vie laborieuse et mondaine d'un jeune avocat de province qui rêve de jouer un rôle important au Palais et dans la ville. Rien que de très légitime dans cette ambition. Rien non plus qui, encore une fois, annonce le révolutionnaire et l'homme d'État. On s'est efforcé de découvrir un Maximilien prérévolutionnaire dans ses plaidoyers et écrits du temps. Ils appartiennent cependant au genre le plus commun de l'époque. Qu'il s'agisse de mémoires adressés aux académies de Metz et de Douai, de plaidoiries localement célèbres comme celle prononcée pour défendre le propriétaire d'un paratonnerre accusé d'attirer la foudre et de menacer la sécurité publique, ou bien du réquisitoire contre un moine paillard qui voulait se venger des mépris d'une servante, on ne découvre rien qui menace l'ordre établi, le gouvernement royal et qui annonce l'orateur le plus incisif de la Révolution. Robespierre, d'une certaine manière, se trouve toujours à l'école.

Mais il prend quelquefois des récréations. Il entre à l'académie d'Arras, société de beaux esprits dont il est bientôt élu président. Il adhère aux Rosati, dont on a voulu faire une redoutable association secrète affiliée à la franc-maçonnerie mais dont les activités semblent bien anodines et surtout consacrées à l'éloge des muses. Il commet, à l'intention des membres de cette honorable corporation, quelques vers, ni meilleurs ni pires qu'à l'ordinaire dans ce genre d'assemblée. Enfin il se lie d'affection avec de jolies femmes. Il garde dans ces relations amoureuses une remarquable discrétion et nous les connaissons, bien mal d'ailleurs, seulement par le rapport qu'en a fait sa sœur Charlotte qui vit alors avec lui et tient son ménage. Après le boursier besogneux et opiniâtre, voilà l'avocat de province brillant, coquetant, répandu dans le monde de sa petite ville. Les hommes célèbres répondent seulement à leur heure au destin qui les sollicite. Qui eût deviné Richelieu dans le costume des pages de Henri IV, Mazarin sous l'uniforme de capitaine pontifical, Napoléon dans sa garnison de Valence? Qui reconnaîtra Clemenceau dans sa redingote d'interne provisoire à La Pitié, Briand au Congrès anarchiste de Marseille? L'Histoire ne se force point. Elle mûrit, au jour qu'elle a choisi, le talent et le génie.

Est-ce à dire que Robespierre soit demeuré insensible aux mouvements profonds et sourds qui remuaient alors le siècle et comme absent de la grande émotion qui s'empare des différents ordres de la nation? Non point assurément, mais nous sommes réduits à le deviner par son comportement ultérieur et son système politique, philosophique et presque métaphysique qui apparaît presque achevé dès 1788. Il lui aurait d'ailleurs fallu se boucher les yeux et les oreilles pour ne point voir ni entendre le grand frémissement des masses.

Notre propos n'est point ici de raconter les événements qui ont préparé la Révolution ni même ceux qui, plus tard, en ont constitué la trame. Mais il est impossible de rien comprendre aux grands révolutionnaires ni à Maximilien lui-même si l'on ne touche de quelque manière aux événements eux-mêmes. La fin du siècle dans lequel vit Robespierre coïncide avec l'agonie d'un régime et d'une société. On peut le déplorer ou s'en réjouir, mais il faut le constater. La France alors en est venue à ce point où la voyait déjà Montesquieu au début du règne personnel de Louis XV : un État dans lequel les lois ne se trouvent plus en accord avec la réalité des choses. La fameuse distinction des ordres : Clergé, Noblesse, Tiers-État, qui longtemps correspondait à une nécessité sociale, à l'évolution naturelle d'un peuple, n'est plus comprise, admise par personne, même pas par ceux qui en bénéficient. Le prêtre ne prie plus pour tout le monde depuis que la Réforme et l'esprit libertin ont détourné de l'Église romaine de nombreux esprits. Le noble ne garantit plus seul la sécurité des campagnes et des frontières depuis que le roi a pris en charge ces hautes tâches. Le Tiers seul travaille pour tous, paie pour tous, ne comprend plus pourquoi et s'en indigne. La monarchie qui, au XVIIe siècle, avait esquissé une réforme profonde des institutions, créé l'impôt universel, appelé la bourgeoisie dans ses conseils, a comme trahi, depuis la mort de Louis XV, son vieux pacte secret avec les forces vives de la nation. Elle redonne anachroniquement ses faveurs les plus rares aux plus inutiles, tolère les exemptions de contributions au bénéfice des privilégiés, gaspille pour eux des sommes moins énormes qu'incongrues, se discrédite sottement. Elle s'en trouve ébranlée, non point démantelée encore, mais il lui faudrait, pour sauver son prestige, son pouvoir, reprendre avec énergie l'adaptation de son gouvernement aux réalités concrètes du siècle. Il lui faudrait bouleverser l'ordre social, faire par en haut la Révolution. Faute de quoi la Révolution se fera inévitablement, par en bas. Il faudrait Henri IV, ou Louis XIV ou seulement Louis XV, celui de la réforme des parlements. On a Louis XVI. Cette action de justice, la masse du Tiers l'attend cependant et l'espère. Les bourgeois bien sûr se trouvent à la pointe du combat. Ils n'ont cessé depuis deux siècles de grandir sur les ruines d'une noblesse épuisée économiquement par les grandes découvertes, l'afflux de l'or en Europe, les guerres de religion et les agitations de la Fronde, domestiquée par la monarchie absolue. Ils veulent maintenant leur place dans l'État, celle qui correspond à leur talent, à leurs ressources. Non point une place de faveur, octroyée, mais une place définie, fixée par les lois. Ils se contenteraient sans doute de celle occupée en Angleterre par leurs homologues britanniques ou conquise

REVEIL DU TIERS ETAT.

par les Américains, mais c'est un minimum. Ils détestent les nobles qui, alliés au haut clergé, leur bouchent non seulement toutes les avenues du pouvoir mais même les emplois honorables de l'armée et de l'administration. Ils ne sont pas les seuls à récriminer. La paysannerie, pour d'autres motifs, rêve d'éliminer le noble, elle aussi. Elle aspire moins à la liberté politique qu'à l'égalité sociale, ce qui se traduit alors par la suppression des vieilles taxes féodales, la libération de la terre et l'impôt universel, à chacun selon ses moyens. Ce serait une tâche passionnante, et bien difficile, que découvrir, à la veille de la Révolution, les sentiments vrais des paysans à l'égard des nobles. On trouverait sans doute toute une gamme allant de la collaboration confiante ou soumise jusqu'à la haine la plus atroce, de Gaxotte à Lefebvre. Mais il paraît probable que l'hostilité et la méfiance seraient les dominantes dans ce concert nécessairement discordant. Dès avant la Révolution, les paysans croient à une sorte de complot permanent, de conspiration des privilégiés pour les exclure de la propriété et de l'égalité, ce fameux complot aristocratique qui deviendra pendant la Révolution le mythe (le mythe ?) générateur des accès de terreur. Les artisans des grandes villes eux-mêmes, peu nombreux cependant et désorganisés depuis la décadence des corporations, murmurent très fort. Les crises économiques se multiplient avec la liberté du commerce imposée au régime par les théories des physiocrates et des ploutocrates. Un récent traité avec l'Angleterre a ouvert largement nos frontières à une industrie moins archaïque que la nôtre, mieux outillée pour produire plus et moins cher. Pitt semble déjà le complice des riches pour étouffer l'industrie française. Le chômage est endémique à Paris. Il met sur le pavé une masse de désœuvrés qui tourneront vite aux traîne-savates, ceux que l'on pourra facilement « colérer » et qui se transformeront, vite aussi, en « tape-dur », au service des agitateurs, l'armée des sans-culottes qui réclament eux aussi moins une liberté, qui déjà les affame, que le pain quotidien. Lutte des classes ? Si l'on veut, mais non point au sens où l'entendait Marx, car les conditions du combat social, division du travail et du capital, concentration industrielle, ignorance et mépris mutuel des possédants et des « prolétaires » ne sont pas encore réunies.

Tous cependant conservent leur foi dans la monarchie. Elle a déjà résolu tant de problèmes ! Elle détient tant de pouvoirs! Le monarque-dictateur redistribuant les charges, rééquilibrant le fardeau fiscal sur les épaules de la nation, retrouvant le droit fil de sa tradition, le service national, la protection des communes, voilà le vœu du 4e État, celui qui pousse sourdement la bourgeoisie. Le drame, le double drame de ce temps, c'est que d'une part Louis XVI ne com-

Les Etrennes Patriotiques Offertes au Roi au nouvel An 1790.

prenne rien à ces mouvements obscurs, ni lui ni personne dans son entourage, - c'est que d'autre part la bourgeoisie joue avec les mots. Lorsqu'elle parle de liberté, le menu peuple comprend égalité; lorsqu'elle vitupère la tyrannie, elle vise les ministres, les institutions politiques; le menu peuple, lui, sent obscurément mais avec force la nécessité d'une révolution à sa propre hauteur, et non point au bénéfice de classes déjà très favorisées par l'évolution naturelle de la France. Tragique malentendu où se trouvent en germe toutes les oppositions, toutes les trahisons, tous les combats fratricides entre révolutionnaires d'égale bonne volonté. Nous voilà tout près de la province, d'Arras, de Robespierre. Car cet immense remuement des idées, des aspirations, des volontés atteint les couches les plus profondes de la nation. Les journaux, les libelles, les prêches des curés, les écrits de tout genre en sont pleins. Les cafés en bourdonnent. Les théâtres en résonnent. La bourgeoisie de basoche, celle des sociétés de pensée, des loges maçonniques, des académies de

province, est peut-être la plus animée. Dans chaque bouquet à Chloris une épigramme. Dans toute plaidoirie, une allusion. Dans toute conversation, un espoir. Nous écrivions plus haut que rien, dans l'œuvre de Robespierre avant la Révolution, ne menaçait l'ordre établi, nous voulions dire que rien ne distinguait Maximilien de cent autres comme lui, que tout dans ses propos supposait un ordre renouvelé. Comme les autres il sent, il pressent un changement, et il l'espère. L'année 1788, pour Maximilien et pour tous les Français, sera une année cruciale. Car l'avenir s'y dessine et les positions s'y prennent. Notre héros saisit le virage avec les autres, mais sa vertu, au sens antique du terme, aidant, le porte d'emblée dans le peloton de tête.

Une révolution va éclater. On en pouvait faire l'économie. Il n'y fallait que du jugement, du caractère et un peu de pitié, choses du monde les mieux partagées, comme le bon sens. Mais l'on ne sache point qu'aujourd'hui ces qualités soient plus fréquentes qu'alors.

Nul n'ignore aujourd'hui que la Révolution de 1789 a éclaté en 1788. A cette date en effet, Louis XVI se trouva acculé à la convocation des États Généraux. Non certes par la volonté clairement exprimée de la nation, mais bien par

l'égoïsme des privilégiés. Depuis de nombreuses années, Turgot d'abord, puis Necker, Calonne, Brienne, Necker encore, bref tous les contrôleurs généraux des Finances avaient proposé des économies et surtout des réformes. Tous sans exception s'étaient heurtés à l'intransigeante opposition des parlements, avocats hypocrites de l'aristocratie, qui se paraient des prestiges de l'opposition pour faire échec à l'évolution nécessaire des institutions. Contre la minorité, la monarchie fut donc contrainte d'en appeler à la majorité. Le bruit d'une convocation des États Généraux se répandit dans toute la France.

En Artois comme ailleurs, l'opinion se préparait à cette éventualité. La bourgeoisie de basoche multipliait réunions et discussions afin de mettre sur pied un plan de réforme de l'État. Mais en Artois comme ailleurs, jouaient les exclusives que commandent le bon usage de la vanité mondaine et l'amour-propre. Robespierre était déjà trop connu, trop répandu pour ne point s'être fait d'ennemis. Il fut tenu à l'écart de ces réunions à moitié mondaines, à moitié politiques dans lesquelles prétendait s'élaborer l'ordre nouveau. Il en conçut de l'amertume et s'en plaignit. Pour la première fois dans sa jeune existence, il pouvait se croire mis hors la société où il était né.

Mais, le 15 juillet 1788, le Conseil du roi fit appel à *tous les savants et personnes instruites à adresser au Garde des Sceaux renseignements et mémoires* pour l'édification des pouvoirs publics. C'était une belle occasion de revanche et Maximilien saisit la balle au bond. Il rédigea un *Appel à la Nation artésienne* qui répondait au vœu du gouvernement. Cet *Appel* constituait à la fois une dure critique des institutions et un manifeste électoral. Mais en même temps il s'apparentait de manière tellement évidente avec cent autres manifestes publiés dans toute la France que l'on peut légitimement se demander si Robespierre n'a pas suivi un mot d'ordre largement diffusé dans le pays par un état-major de réformateurs clandestins ou, au moins, discrets. Quoi qu'il en soit, Robespierre attaquait notamment la composition des États provinciaux de sa province : les curés étaient éliminés au profit des évêques et des abbés réguliers, les nobles ne s'y trouvaient pas vraiment représentés, le Tiers n'y figurait que par le truchement d'intrigants sans aucun rapport avec les humbles. En bref, l'institution paraissait à Maximilien tout ensemble archaïque et abusive, et lui ne se sentait pas le droit de garder le silence quand le roi appelait tous ses sujets de bonne volonté à exprimer leurs critiques et leurs vœux concernant le gouvernement de la France nouvelle.

Par cet *Appel*, Robespierre posait donc sa candidature aux élections pour les États Généraux. Elles intervinrent au début de 1789. Le jeune avocat ne fut pas facilement désigné. Il dut mener une campagne très active. Sa sœur Charlotte, son frère Augustin, son oncle du Rut, toute la famille, celle de la ville et surtout celle de la campagne, s'employa pour le succès du grand homme. Il semble que l'on travailla surtout les électeurs des villages. Mais Robespierre lui-même n'eut garde d'oublier ceux des faubourgs et se fit notamment le défenseur ardent de la corporation des savetiers dont il rédigea le cahier de doléances. Le sens de sa candidature apparut peu à peu en pleine lumière : il était l'homme des réformes, des revendications populaires tout en conservant un parfait loyalisme à l'égard de la monarchie et une parfaite révérence à l'égard du contrôleur général Necker, ce qui neutralisait la bourgeoisie industrielle et commerçante tout entichée alors de ce Suisse médiocre. Cette attitude valut à Maximilien l'appui discret d'un député de la noblesse converti aux idées nouvelles, Charles de Lameth, qui devait jouer jusqu'en 1791 un rôle particulièrement important dans la Révolution. Robespierre agit-il dès ce moment en plein accord avec lui ? Nul ne peut l'affirmer dans l'état actuel de nos connaissances, mais l'entente électorale entre les deux hommes semble probable. Maximilien, en tout cas, fut élu d'abord à l'Assemblée électorale préparatoire, puis commis à la rédaction des cahiers de doléances pour l'ensemble du Tiers du baillage, enfin nommé député aux États Généraux le 26 avril 1789.

La route est ouverte sur le chemin de la haute politique. Notons seulement que Maximilien n'a pas triché avec ses idées. Il part pour Versailles comme partisan avoué d'un bouleversement de l'État, voire de la société. Rien cependant ne le désigne comme un contempteur de la monarchie. L'idée même d'une République paraît absente de ses préoccupations. L'homme est de son siècle, de son état, de sa classe. Et rien non plus, ni dans le siècle, ni dans la bourgeoisie, ne semble menacer le roi dans son pouvoir. On espère tout de l'intelligence politique, de la bonne volonté de Louis XVI. Robespierre, avec des millions de Français, compte sur la vertu du souverain et la fidélité du peuple.

La carrière de Robespierre ne semblait point, à l'aube de la Révolution, le prédisposer au rôle de meneur ni dans la rue ni même à l'Assemblée. Il fallait en effet à la rue des hommes de carrure, de gueule, de force physique - toutes qualités de combat que ne possède pas évidemment Maximilien. D'ailleurs le jeu qui s'est joué à Paris entre le mois de mai et celui de juillet 1789 exigeait que l'on fût Parisien ou au moins fixé depuis longtemps dans la capitale, qu'on en connût les ressources et les secrets, les détours de l'intrigue politique et les élans de la foule. Robespierre avait depuis longtemps quitté le Quartier Latin, trop longtemps pour redécouvrir si vite, s'il les avait un jour déjà possédées, les clés de l'agitation populaire. Il ne paraît point, au reste, qu'il l'ait désiré. Quant à l'Assemblée, comme toutes les assemblées, elle tâtonnait, se cherchait et tenait volontiers les yeux fixés sur ceux de ses membres qu'avait illustrés, avant même la convocation des États Généraux, quelque grande action ou quelque grande pensée. Un Mirabeau, dont le nom et le talent étaient notoires, un Mounier qui avait soulevé les bourgeois du Dauphiné, un La Fayette qu'auréolait la guerre d'Amérique, tous de réputation, de classe nationales, barraient d'emblée un Robespierre qui apparaissait seulement comme un coq de province. Et on ne voit pas non plus que Maximilien, dont le génie était fait de patience plus que d'avidité, ait essayé de leur ravir la place qu'ils occupaient dans l'admiration du Tiers-État. Mais, au fil des mois et des événements, il s'installe, il s'affirme dans

La Fayette
(dessin de Duvivier en 1790)

l'Assemblée et l'opinion sur une position qui le singularise et bientôt le met en vedette. Il adopte en effet un parti de rigoureuse opposition, non seulement à toutes les entreprises de contre-révolution, mais même à toutes les tentatives pour affaiblir, affadir le sens que la nation révolutionnaire donnait à un combat souvent anarchique, mal lié mais obstiné pour imposer un bouleversement des institutions et des rapports sociaux. Dès le 5 mai 1789, date de la réunion des États Généraux, Robespierre entre dans ce jeu qui est d'ailleurs pour lui bien autre chose qu'un jeu : une sorte de mission qu'il s'est assignée et dont bientôt il ne doute point qu'elle lui est confiée par ses mandants, les clubs de Paris et la nation tout entière. Lorsque en effet il apparaît, après quelques heures seulement, que la noblesse entend faire de la réunion des députés une réédition plus ou moins sincère des anciens États Généraux, une représentation figée de l'ordre social et politique, les bourgeois s'unissent par province afin de prendre langue et de ne pas laisser entamer leur solidarité instinctive. Les députés de Bretagne se groupent autour de Lanjuinais, ceux du Dauphiné autour de Barnave, ceux de Franche-Comté autour de Blanc. C'est autour de Robespierre que se concertent les représentants de l'Artois. Et, dans ces assemblées particulières mais identiques par l'esprit qui les anime, s'affirme la résolution de ne point consentir à se réunir par ordre, d'exiger la formation d'une Chambre des communes françaises imitée de l'anglaise qui donnera au pays sa Grande Charte, sa Constitution. On sait que, de cette résolution, de cette volonté découleront les premières concessions du roi, la formation de l'Assemblée Nationale Constituante, la crise de juillet, la prise de la symbolique Bastille, et l'affirmation dans les faits, en attendant les lois, d'une société nouvelle. Maximilien a participé à cette phase de la Révolution où sa réputation encore modeste, son talent encore hésitant l'avaient placé, mais aussi où la rigueur de son idéal lui commandait de prendre parti. Deux interventions à la tribune, le 18 mai et le 28 juin, n'ont point encore suffi à le tirer de la pénombre où demeuraient les députés moyens qu'aveuglaient la « torche de Provence », c'est-à-dire l'éloquence brutale et imagée de Mirabeau, ou bien la gloire prestigieuse de La Fayette.

Le plus grand des historiens de Robespierre, Mathiez, a d'ailleurs fort bien observé que « les hiérarchies sociales sont plus solides que les hiérarchies légales » et que, par une séculaire habitude, les bourgeois révolutionnaires choisirent longtemps encore, pour les guider, des nobles pourvu que ceux-ci leur parussent ou fussent effectivement acquis aux idées nouvelles. La Fayette notamment, dont la probité de vie s'alliait à une réputation fort injustifiée de talent politique, dominait et domina la vie de la Constituante jusqu'au bout. D'autant plus et d'autant mieux qu'il fut choisi comme commandant de la Garde nationale au lendemain de l'affaire du 14 juillet, et qu'il disposait donc de la seule force capable d'une action révolutionnaire concertée et cohérente. Mais, dès l'origine, il plaça cette force au service de la révolution modérée, s'il est ainsi permis de s'exprimer, et aussi de ses intérêts propres. Il semble alors que, dès le début aussi, Robespierre n'ait cru ni à la légitimité d'une révolution-croupion ni à sa possibilité ; il semble également qu'il n'ait éprouvé aucune sympathie pour La Fayette, pour ses prétentions à une sorte de consulat qui devait infailliblement tourner au pouvoir personnel, celui d'un Cromwell sans imagination ni véritable dévouement à la cause populaire. Mais, jusqu'au bout encore, Maximilien mesura, en véritable homme d'État, à sa juste valeur, l'outil dont disposait le glorieux « Américain » et nous le verrons poursuivre de sa méfiance et de son hostilité jusqu'à son effondrement une idole pourrie que détestait son ordre et que le peuple des faubourgs ne reconnut jamais comme l'un des siens — et pour cause.

De mai 1789 à décembre, Robespierre est intervenu 25 fois à l'Assemblée. On pourrait croire à une activité considérable. Mais en fait la Révolution se montrait alors fort bavarde et les 25 discours de Maximilien ne pèsent guère auprès des 42 de Barnave, des 75 de Target et des 122 de Mirabeau ! Nous ne savons pas encore aujourd'hui comment furent accueillis ses déclarations et ses discours, car la légende s'est emparée très tôt de l'homme et les passions se sont déchaînées à son sujet. Pour les uns, Robespierre, que les journaux de 1789 appellent plus souvent Robert-Pierre ou Robetz-Pierre, était fort écouté et apprécié par ses collègues. Pour d'autres, on le considérait comme le bouffon de la Gauche, un doctrinaire étriqué à l'éloquence médiocre, « la chandelle d'Arras » que l'Assemblée chahuta au moins une fois en octobre 1789 de manière cruelle. Cependant le fait demeure que Maximilien se montrait fort assidu aux travaux de la Constituante, ce qui suffisait à lui créer des droits et à fonder sa réputation de sérieux. Et le fait est aussi qu'on l'écoutait avec une attention, hostile ou sympathique, grandissante : on n'en peut douter lorsqu'on voit Robespierre contraint de publier un important discours qu'il voulait prononcer et qu'il ne put déclamer ou lire à la tribune, la clôture ayant été prononcée, bien précipitamment semble-t-il. Le craignait-on déjà ? Il semble bon au reste de s'arrêter quelque peu sur ce discours, ce « dire » de M. de Robespierre, député de la province d'Artois, qui s'opposait franchement au veto royal, soit absolu soit suspensif [3]. Nous y découvrons la clé de l'attitude de Robespierre à propos de la Constitution dont on discutait alors les articles. Pour la Droite (mot inexact mais commode) il s'agissait de fermer, de boucler les portes par lesquelles la démocratie (ou la démagogie) envahirait le nouveau régime. Pour la Gauche, il fallait réduire au plus juste la prérogative royale, le gouvernement d'un seul. Le « dire » de Maximilien, qui fut publié par ses soins entre le 20 et le 30 septembre 1789, le classait définitivement aux côtés de Marat, des révolutionnaires extrêmes, bien au-delà des Barnave, des Mirabeau et autres artisans d'une révolution raisonnable. Le texte contient quelques phrases, quelques formules annonçant, en même temps qu'un orateur de classe et un écrivain de race, un impitoyable logicien, un juriste implacable. Que l'on en juge : *Celui qui dit qu'un homme a le droit de s'opposer à la loi dit que la volonté d'un seul est au-dessus de la volonté de tous. Il dit que la Nation n'est rien et qu'un seul homme est tout. S'il ajoute que ce droit appartient à celui qui est revêtu du pouvoir exécutif, il dit que l'homme*

établi par la Nation pour faire exécuter les volontés de la Nation
a le droit de contrarier et d'enchaîner les volontés de la Nation.
Il a créé un monstre inconcevable en morale et en politique, et
ce monstre n'est autre que le Veto Royal... Il faut se rappeler
que les gouvernements, quels qu'ils soient, sont établis par le
peuple et pour le peuple, que tous ceux qui gouvernent, et
par conséquent les rois eux-mêmes, ne sont que les mandataires
ou les délégués du peuple. Voilà pour le veto absolu. Et voici
pour cette forme atténuée et aberrante du veto, appelée
veto suspensif : *Pourquoi faut-il que la volonté de la Nation*
cède pendant un temps quelconque à la volonté d'un homme... ?
Pourquoi faut-il que le pouvoir législatif soit paralysé dès qu'il
plaira au pouvoir exécutif tandis que celui-ci peut toujours
exercer une activité redoutable à la Liberté ! Il ne serait pas
difficile, dans ce texte, de démêler ce que Robespierre doit
aux philosophes, à tous les philosophes du XVIIIᵉ siècle :
Montesquieu et la séparation des pouvoirs, l'*Encyclopédie*
et le despotisme éclairé, Rousseau et la souveraineté du
peuple, voire Fénelon et la théorie des *antiques assemblées*
nationales. Mais la nouveauté réside dans la rigueur, le ciment
par lesquels s'ajustent ces propositions pour donner au mouvement révolutionnaire le solide corps de doctrine sur lequel
sont venues se briser les habiletés politiques des modérés et
des réactionnaires. On sait cependant que Robespierre ne fut
pas suivi par ses collègues et que Barnave, l'inventeur du
veto suspensif, l'emporta.

Cette position de principe prise par Maximilien, jointe
à des interventions sans cesse plus nombreuses et plus vigou-
reuses en faveur de la liberté, de la volonté du peuple, à
l'affirmation répétée que la Révolution risquait d'être étouffée
par *une conspiration connue de tout le monde* – le fameux et
peut-être illusoire « complot aristocratique » – achèvent de
mettre en vedette, dès l'automne de 1789, le député d'Arras.
Les royalistes de combat, notamment ceux qui se sont
groupés autour de l'abbé Royou, le rédacteur en chef des
Actes des Apôtres et de Gauthier, l'inspirateur de l'*Ami du*
roi, prennent désormais Maximilien pour l'une de leurs cibles
favorites. Ils raillent sa pensée comme son éloquence, sa per-

A.P.J M. BARNAVE,

ALEXANDRE DE LA METH.

CHARLES DE LA METH.

A Paris chez le Vachez, au Palais R.¹ N.° 258.

sonne comme sa tenue, et colportent à son sujet mille fables pour le discréditer. Ne vont-ils point jusqu'à lui attribuer une parenté avec Damiens, le célèbre régicide ? A l'inverse, les patriotes extrêmes se reconnaissent en lui et le défendent vigoureusement : *les Révolutions de Paris, le Patriote français, la Sentinelle du peuple* le louent dans leurs colonnes ; Brissot, Lameth, parfois Mirabeau, Buzot l'appuient à la tribune de l'Assemblée. En cette fin de l'année 1789, Robespierre est devenu un personnage ; il s'est hissé au-dessus du commun des représentants. Qu'on le loue ou qu'on le blâme, il est maintenant connu de tous ceux qui s'intéressent à la chose publique. Et, consécration suprême (on n'est jamais prophète en son pays), jusque dans sa province natale, on l'attaque ou on l'exalte. Le 20 décembre 1789, un de ses collègues du barreau d'Arras lui écrit : « Polisson, tu ne cesseras donc pas de rester à l'auguste Assemblée Nationale où les honnêtes gens rougissent d'être avec toi ? » cependant qu'un ami le prévient : « Je crois que si vous veniez maintenant à Arras, vos jours n'y seraient pas en sûreté. » [4]

Du coq de province à la vedette parisienne, la Nature aurait pu faire un saut. Il n'y paraît point. Robespierre semble appartenir à ce petit nombre qui, ayant par essence ou choix délibéré, adopté à l'égard des hommes et de la vie une certaine apparence, s'y tiennent sans ostentation comme sans regret. Cette attitude, ses ennemis d'hier et d'aujourd'hui, ainsi que ses amis abusifs d'hier et d'aujourd'hui, la figent en une sorte de statue dépourvue d'humanité vraie. Les uns le peignent aux couleurs d'une idole glacée d'orgueil, pétrie de méfiance jalouse, mue par une irrésistible ambition sectaire et bornée. Les autres l'exaltent à l'égal d'un saint doué d'infaillibilité, comme détaché des biens de ce monde, les yeux fixés sur une étoile et la marche embarrassée par les obstacles sournois que sèment sous ses pas la haine et l'envie. La réalité est bien plus simple et Robespierre ne mérite ni ces excès de la rancune ni cette démesure dans l'adulation.

Ce que furent ses sentiments cachés, ses ambitions dissimulées, nous ne le savons naturellement pas et nous ne les connaîtrons sans doute jamais : le secret des hommes n'appartient pas à l'histoire, bien trop heureuse lorsqu'elle peut découvrir le ressort des faits. De la vérité des êtres nous n'appréhendons que les apparences.

Elles ne sont point ici étonnantes, ignobles ou merveilleuses. Député aux États Généraux, puis à la Constituante, Robespierre jouit d'une indemnité de fonctions qui lui donne une honnête sécurité matérielle [5]. Sans doute gagnait-il mieux sa vie comme avocat d'Arras que comme représentant du peuple. Mais il se trouve également éloigné de la misère et de la fortune, du besoin et du luxe. Il n'ajoute d'ailleurs

33

à ses émoluments aucun produit de spéculation ou de tripotage. Sa réputation de probité prudente et bourgeoise n'a jamais été mise en doute, même par ses pires ennemis. La vie publique lui fournit l'occasion de servir ses idées et peut-être satisfaire sa vanité, non point d'augmenter ses revenus. On le voit soucieux de correction, avec une pointe d'élégance dans sa tenue, et ses bagages de député contiennent ce qu'il faut d'habits, de cravates, d'écharpes, de linge pour paraître. Jamais débraillé, ni même négligé ; un parti pris de netteté un peu sévère, une coquetterie un peu démodée, très province, le distinguent de collègues désordonnés ou trop élégants.

Tel quel, il peut plaire aux femmes, et il leur plaît. A Paris, sinon à Versailles, il entretient une maîtresse qu'il n'affiche point. Nous en connaissons l'existence et rien de plus. C'est d'un homme d'honneur et d'une complexion normale. Jusqu'au début du mois d'octobre 1789, Robespierre loge dans un hôtel de Versailles, une sorte

Desmoulins au Palais Royal

de pension de famille plutôt, ni luxueuse ni sordide, où sont également descendus plusieurs de ses collègues artésiens. Il fréquente le café Amaury où il a une place réservée. Mais il y boit moins qu'il y parle politique avec quelques autres députés de la gauche formant un groupe appelé le Club breton d'où sortira la fameuse société des Amis de la Constitution, encore appelée club des Jacobins. Il se rend assez souvent à Paris pour y rencontrer d'autres amis, parmi lesquels Camille Desmoulins. Peut-être parce que Desmoulins est lié à lui par de vieux souvenirs de collège, et certainement parce qu'il rédige un des journaux les plus lus de la ville, *les Révolutions de France et de Brabant* [6], organe d'extrême-gauche : un politicien ne peut négliger l'appui que prête à ses idées et à sa personne une feuille à succès. Maximilien ne semble pas avoir connu alors les liens secrets et puissants qui unissaient Camille au duc d'Orléans, l'ambitieux cousin de Louis XVI. Ou bien, s'il les a connus, il les a volontairement ignorés, quitte à dénoncer plus tard cette association suspecte. Par Desmoulins, il est entré dans le cercle des Duplessis, bourgeois libéraux et sympathiques, dont la fille, Lucile, était fiancée à Camille. Dans un autre cercle, celui des Amis des Noirs, il fréquente des hommes qui alors l'admirent et dont il se séparera avec éclat ultérieurement : Condorcet, Brissot. En octobre, à la suite des événements violents des 5, 6 et 7, le roi, la Cour et l'Assemblée quittent Versailles pour Paris qui est « recapitalisé ». Robespierre abandonne alors sa pension de famille provinciale et loue un appartement rue de Saintonge. L'immeuble est bourgeois, cossu : en apparence au moins il convient parfaitement au rang d'un représentant du peuple. Mais Maximilien n'occupe qu'une partie modeste de l'édifice : deux chambres dont les fenêtres s'ouvrent sur le décor des hauteurs de Montmartre, de Ménilmontant, des Buttes-Chaumont. Il travaille volontiers, le matin, avant de se rendre à l'Assemblée, avec, sous les yeux, les lignes sévères et nobles des portes Saint-Martin et Saint-Denis. Il partagera, au début de 1790, son logis avec un épisodique secrétaire, un certain Villiers, qui se vantait de le servir bénévolement.

Rien, non plus, dans cette vie de bourgeois rangé, sérieux,

laborieux, qui révèle l'ascète attaché au seul, à l'exclusif service public, ou le monstre caché aux détours de la vie politique pour y guetter l'adversaire afin de le surprendre et de l'abattre. Ce qui frappe, si l'on peut dire, dans ces mois de lutte souvent obscure et chanceuse pour atteindre le peloton des conducteurs de la Révolution et s'y maintenir, c'est plutôt la banalité des circonstances extérieures, du comportement quotidien que leur étrangeté, leur singularité. Colbert débuta comme commis de boutique, Napoléon officier de province, Thiers petit avocat au barreau d'Aix-en-Provence. Pourquoi voudrait-on à toute force que le destin accumulât les signes sur la tête des hommes illustres ?

L'année 1789, depuis et même avant la réunion des États Généraux, et presque jusqu'à son terme, avait été toute bousculée par des événements grandioses et terribles. La rébellion des bourgeois du Tiers État contre les ordres privilégiés à l'Assemblée, la transformation de celle-ci en Constituante, le 14 juillet, la Grande Peur, la nuit du 4 août, les agitations populaires de l'automne, la mise en surveillance aux Tuileries du roi et

des siens-autant de coups de tonnerre bouleversant tout ensemble la constitution politique et le corps social français. Mais, de
même qu'un organisme, frappé par la maladie
ou la croissance, connaît des périodes de
rémission succédant aux accès de fièvre,
de même la Révolution, entre le mois de janvier et celui d'octobre 1790, semble entrer
dans un relatif repos. Un ordre nouveau se
construit, non sans difficulté d'ailleurs, mais
sans violence apparente. Au moins à Paris
et dans les grandes villes. Car la campagne,
la province profonde, demeure fort émue,
notamment dans le Midi où le printemps est
virulent : royalistes et patriotes, catholiques et
protestants s'y trouvent aux prises pendant que,
dans toute la France, des mutineries militaires,
signe grave de décomposition, apparaissent,
notamment dans l'Est, à Nancy. Cependant on
peut croire qu'il s'agit des dernières et hautes
vagues de la tempête. D'autant que, par
ailleurs, aux mouvements de discorde entre
Français semble peu à peu se substituer un
courant de large union qui s'identifie avec
les « fédérations » dont la fête nationale,

le 14 juillet 1790, clôt, aux yeux des contemporains optimistes, l'ère révolutionnaire.

Ce relatif apaisement est dû en partie, bien sûr, à la lassitude de populations entraînées depuis de longs mois dans une sorte de tourbillon qui leur donne vertige et fatigue, en partie aussi au revirement de certains gros bonnets de la Révolution inquiets de la prolongation de ce qu'ils commencent à appeler l'anarchie. Dès octobre 1789, Mirabeau et surtout La Fayette, tout en demeurant ralliés à l'ordre nouveau, se rapprochent de la Cour. La Fayette élimine subitement le duc d'Orléans, cet agent permanent de fermentation, en lui faisant confier une mission diplomatique en Angleterre. « Je ne voudrais pas de lui pour valet », déclare de son côté Mirabeau, qui, au début de 1790, propose une sorte d'alliance à « l'Américain ». « Vos grandes qualités ont besoin de mon impulsion ; mon impulsion a besoin de vos grandes qualités. » Il se compare au Père Joseph qui aurait trouvé dans le commandant de la Garde nationale, son Richelieu. Ainsi, jusqu'à l'automne de 1790, La Fayette apparaît comme une sorte de maire du palais, dominant tout ensemble la Révolution et la Cour. Il connaît, même parmi les bourgeois patriotes, une sorte de popularité dont il use pour essayer de rétablir l'ordre dans une France encore émue et rétive.

Pour la Gauche révolutionnaire, le combat se situe donc surtout à l'Assemblée elle-même, bien plus que dans la rue. Et Robespierre, homme d'assemblée plus que d'émeute, s'y révèle particulièrement actif, particulièrement à l'aise. Il y gagne une réputation accrue auprès de ses collègues et une audience plus étendue dans le pays tout entier. Mais aussi il comprend que les forces de révolution doivent se recueillir, se ramasser ailleurs, hors de la Constituante, et le théâtre de son combat se transporte souvent dans les clubs, notamment dans cette Société des Jacobins qui devient alors un nouvel et puissant outil d'action. Robespierre lutte donc sur deux scènes à la fois : sur le devant du théâtre et dans la coulisse. Il nous faut l'accompagner et l'observer pour comprendre et la suite des événements et sa propre carrière.

A l'Assemblée d'abord. Robespierre multiplie, au cours du premier semestre de 1790, ses interventions. Il s'agit pour lui, à propos du vote de la Constitution, de s'opposer, en toute occasion, à la volonté des modérés, nouveaux et anciens, qui entendent contenir, « figer » l'élan révolutionnaire, réaliser une sorte d'équilibre que Maximilien juge bâtard et injuste, entre le dynamisme patriotique et le pouvoir du roi. Son dessein, il le définit assez bien, dès la fin de 1789, dans un *Avis au peuple artésien* qu'il adresse à ses compatriotes pour répondre aux attaques dont il se sait l'objet parmi ses mandants. Il affirme dès ce moment qu'il ne s'adresse point à toute la population de sa province, mais seulement au peuple, qu'il identifie avec les pauvres. Défenseur de ces pauvres dès avant la crise révolutionnaire, il entend leur demeurer fidèle, mériter leurs suffrages et il s'affligerait d'être loué par leurs oppresseurs, mais il les adjure de le soutenir dans son action pour les « libérer ». Ainsi Maximilien se porte d'emblée à la pointe la plus extrême du parti révolutionnaire, bien au-delà des revendications bourgeoises et au plus près des revendications populaires. Mais, il faut le noter, cette position demeure encore toute théorique puisqu'il ne participera pas, l'année suivante, aux discussions à propos de la loi Le Chapelier qui livre, pieds et poings liés, les artisans et les ouvriers des villes à la bourgeoisie mercantile. En fait, les déclarations de l'*Avis* demeurent de principe : Robespierre se tient et se tiendra lontemps sur le seul plan politique.

Cette attitude prudente sous ses allures provocantes explique qu'il ait alors bénéficié de l'appui, sinon de la sympathie, de la Gauche proprement politique de l'Assemblée, notamment des Lameth, des Duport, des Barnave, nobles et bourgeois libéraux jaloux de l'autorité prise par La Fayette, hostiles par vertu à Mirabeau, qui, dans leur combat acharné contre les « caciques », se soucient de conserver le contact avec une extrême-gauche s'incarnant dans Robespierre et ses rares partisans, Pétion notamment.

Il ne saurait être question, dans le cadre restreint de cette étude, de dresser exhaustivement le détail des interventions de Robespierre à l'Assemblée entre janvier et octobre 1790.

Mais il faut noter les quatre occasions capitales où il agit et lutta pour dégeler une révolution qui lui paraissait entrer dans une mortelle léthargie. Au mois de janvier d'abord, à propos du droit de vote et spécialement de la question du marc d'argent. On sait que, par un décret du 22 décembre 1789, les conditions exigées pour être citoyen actif, c'est-à-dire pourvu du droit de vote, portaient notamment obligation de payer une contribution directe égale à la valeur de trois journées de travail, et que, pour être élu député à la future assemblée, il faudrait payer une contribution égale à la valeur d'un marc d'argent [7], soit environ deux mille cent francs. Le 25 janvier 1790, Robespierre, qui s'était élevé déjà, les 29 octobre et 3 décembre précédents, contre l'établissement de ce système censitaire, reprit avec vigueur la parole pour combattre les décrets. Il déclara que *dans l'état actuel, l'égalité politique était détruite* et demanda que toutes dispositions concernant la condition de citoyen actif fussent suspendues au moins jusqu'à l'établissement d'un régime uniforme d'impôts dans tout le royaume. *Le Mercure de France* affirma que « l'arrêté de M. de Robespierre avait été reçu avec la plus vive improbation » mais, dans la presse, Marat, Camille Desmoulins, Loustalot appuyèrent vivement le député d'Arras, à tel point qu'une sorte de campagne se dessina dans l'opinion publique patriotique et que 27 districts parisiens protestèrent, au cours du mois de mars 1790, contre les décisions de la Constituante. L'émotion provoquée par le discours de Robespierre s'étendit jusqu'à la province d'Arras tellement qu'il se vit obligé de se faire décerner une sorte de certificat de bonne conduite par ses collègues à la députation : sept le signèrent, sept refusèrent ce témoignage de vertu. Signe caractéristique : Charles de Lameth figurait parmi les garants de Maximilien. Ce geste en dit long sur la confiance dont celui-ci jouissait encore dans la noblesse libérale et la bourgeoisie patriote. Cette confiance ne suffisait d'ailleurs pas à assurer sa popularité dans son pays d'origine lui-même, en sorte que Charlotte Robespierre, sa sœur, et Augustin, son frère, lui demandèrent alors en grâce de leur permettre de venir à Paris avec lui, le séjour d'Arras ne leur paraissant plus sûr [8].

Le 9 février 1790, Robespierre, à la séance du soir, prononça un second et important discours concernant, cette fois, les troubles dans les campagnes. Des désordres continuaient à agiter certaines régions du centre-ouest : le Quercy, le Rouergue, le Bas-Limousin, le Périgord, ainsi que plusieurs cantons de la Basse-Bretagne. Des bandes armées de paysans attaquaient, comme pendant l'hiver de 1788-1789 et comme au temps de la Grande Peur, les châteaux. Un député de la droite, l'abbé Maury, proposa des mesures sévères contre les « brigands attroupés ». Un vif débat s'engagea alors et Robespierre y participa avec vigueur. Il prit le parti des « brigands », ou soi-disant tels, et déclara que *la force militaire employée contre des hommes est un crime quand elle n'est pas absolument indispensable.* D'autre part, renchérissant sur son collègue Lanjuinais, il accusa les seigneurs d'être les véritables auteurs des troubles : ils refusaient d'appliquer sincèrement les décrets du 4 août et des jours suivants. Ces décrets supprimaient certains droits féodaux. Une fois encore – on le devine –, il provoqua les cris de la Droite et des modérés : *le Journal de la Liberté* rapporte que « ses ménagements » à l'égard des « brigands » « n'ont point plu à un côté de la salle qui l'a interrompu ». L'affaire fut évoquée à nouveau quelques jours plus tard et Robespierre intervint à nouveau, ce qui lui valut les fureurs de *l'Apocalypse*, brûlot royaliste : « On observe que, pour opérer une bonne et belle révolution comme celle qui agite si bénignement le ci-devant royaume de France, il est indispensable qu'il y ait quelques gouttes de sang répandues, quelques châteaux brûlés, quelques possessions dévastées, mais Messieurs Barnave et Robespierre se chargent par des raisonnements simples d'éliminer ces légers inconvénients. » Ce court extrait de la presse royaliste montre au moins que l'esprit n'a jamais déserté le côté droit de l'opinion, mais surtout que, dans cette grave affaire aussi, la bourgeoisie révolutionnaire de gauche, dont Barnave était un des porte-parole les plus actifs, soutenait encore et toujours Robespierre.

Non moins caractéristique apparaît l'attitude de Maximilien à propos des troubles de Nancy qui occupèrent l'Assemblée à la fin du mois d'août et au début de septembre 1790. Non moins caractéristique aussi l'appui discret que lui apportèrent Lameth et Barnave. On apprit le 31 août qu'à Nancy avait éclaté, dans trois régiments sous le commandement du marquis de Bouillé, une sorte d'émeute ou de mutinerie due, semble-t-il, à la répartition des boni, des masses comme on disait, entre les soldats. Le 28 août notamment, une rixe sévère avait opposé les Suisses du régiment de Châteauvieux à un détachement de carabiniers requis pour établir l'ordre. La Droite de l'Assemblée, les Noirs comme on disait alors [9], émit naturellement l'avis que Bouillé reçût carte blanche pour rétablir, au besoin par la force la plus rude, la discipline dans l'armée. Robespierre, au contraire, demanda que l'on s'abstînt de toute précipitation et qu'une enquête préalable vînt déterminer les responsabilités. Il fut blâmé par ceux-ci, loué par ceux-là, mais il bénéficia de l'appui prêté par Lameth et surtout Barnave dont d'ailleurs la motion fut finalement adoptée : « Une proclamation sera faite exhortant au retour de l'ordre, annonçant la punition des coupables, de quelque grade qu'ils fussent et plaçant, en attendant la décision, tous les soldats et les citoyens sous la sauvegarde de la nation. Cette proclamation sera portée par deux commissaires dont le patriotisme sera connu et qui auront la force militaire à leur réquisition. » La presse de gauche qualifia, à cette occasion, Robespierre de « dernier des Romains ». En fait, son action et celle de Barnave n'empêchèrent point les mutins de se voir condamnés aux galères et c'est en vain que Maximilien s'opposa à la décision finale de l'Assemblée. Elle vota des félicitations à Bouillé pour son énergie : la tribune fut interdite à Robespierre sans que Mirabeau ni La Fayette ni, symptôme d'une rupture imminente, Lameth ni Barnave se fussent interposés.

Mais le combat révolutionnaire de Robespierre, combat souvent chanceux, prend son véritable sens, son véritable éclairage, si l'on veut bien se transporter hors de l'enceinte de la Constituante et en suivre les vicissitudes jusqu'au club des Jacobins. Celui-ci fut, pendant les premières années de la Révolution, tout à la fois la serre dans laquelle mûrirent et s'épanouirent les tempéraments révolutionnaires les plus ardents, le laboratoire où se fabriquèrent les mélanges les plus détonants de cette ardente époque, l'organe enfin de stimulation et aussi de surveillance de l'esprit public. Le club est né de la dislocation, à la fin de novembre 1789, de ce Club breton que Robespierre, on s'en souvient, fréquentait assidûment à Versailles. Quelques députés avancés prirent l'habitude de se réunir à nouveau, rue Saint-Honoré, dans un couvent de Jacobins désaffecté. L'ancienne chapelle, local exigu et inconfortable, servit de salle pour les délibérations et Robespierre, dont la voix était nette mais assez faible, y trouvait, plus que dans l'immense Assemblée Nationale, un auditoire à sa convenance. Tous les hommes influents de la Gauche d'ailleurs fréquentaient le club et sollicitaient l'honneur de présider les délibérations. Maximilien lui-même fut appelé à cette charge le 31 mars 1790, ce qui en dit long sur l'audience que lui accordaient déjà les membres du club. Il rencontrait souvent, rue Saint-Honoré, Mirabeau avec lequel les rapports, pendant l'hiver de 1790, sont mieux que corrects. Cependant « la torche de Provence » ne voyait pas à la fois sans ironie et appréhension se lever l'étoile de Robespierre qui, affirmait-il, « irait loin parce qu'il croyait tout ce qu'il disait ». Simple boutade de grand seigneur cynique, mais Mirabeau voyait juste et profond lorsqu'il ajoutait : « Surtout ne prenez pas l'exaltation des principes pour le sublime des principes. » Les relations entre les deux politiciens semblent avoir commencé à se gâter au printemps de 1790 lorsque la Constituante discuta le nouveau statut de l'Église catholique, la Constitution civile du clergé. Mirabeau en voulut notamment à Robespierre de l'avoir devancé en proposant, avant lui, que fût aboli le célibat des prêtres, et de l'avoir en quelque sorte frustré du grand discours qu'il comptait prononcer à cette occasion. Aucune rupture n'intervint encore, mais on se surveilla désormais avec méfiance et jalousie et l'on rivalisa âprement pour la première place dans l'estime et l'amour des patriotes, des Jacobins. Avec adresse, Robespierre multiplia les contacts avec les sections locales du club qui se créaient partout en province, et prit, en toute occasion, le parti des patriotes locaux contre les autorités constituées. Versailles, Lille, Marseille, Toulon apprirent à connaître son nom, à le révérer. Ainsi s'étendaient aux limites de la France entière – au moins de la France urbaine et révolutionnaire – la réputation et la gloire naissante de celui que l'on appelle déjà partout l'Incorruptible.

Robespierre peut bien ne pas déterminer encore les décisions d'une assemblée dont il n'attend d'ailleurs pas grand-chose pour animer la Révolution : le présent certes lui manque, mais l'avenir semble lui appartenir, au moins autant que l'avenir puisse se confier à un seul.

Mathiez, le grand initiateur des études modernes sur la Révolution française, a écrit qu'au mois d'octobre 1790 « Louis XVI comprit que quelque chose de définitif prenait racine », que « l'autorité de La Fayette s'affaiblissait de jour en jour » et que, par conséquent, il ne semblait plus exister aucune chance d'arrêter ou de détourner le grand courant entraînant la France vers un destin que nul ne pouvait prévoir. Il est probable que, seul, le souverain n'aurait pu essayer de s'opposer quand même à cet entraînement dont il percevait la force sans en comprendre très bien les motifs. Mais en fait son inquiétude se trouvait maintenant partagée par beaucoup d'hommes qui, naguère encore, s'imaginaient pouvoir contrôler le mouvement qu'ils avaient contribué à déclencher. Depuis longtemps déjà, les aristocrates de tout poil regrettaient sans doute leur imprudente opposition appuyée sur les parlements qui avait porté le premier coup à la monarchie absolue, mais leur audience dans la nation demeurait faible et ils en étaient réduits soit à des gestes de mauvaise humeur individuelle, soit à la fuite vers l'étranger, soit enfin à d'obscurs complots, d'ailleurs dangereux dans la mesure où la noblesse disposait encore d'une certaine influence dans l'armée. En fait, cependant, le péril principal pour la Révolution, telle que l'entendaient les clubs et les patriotes comme Robespierre, venait apparemment de l'aide peu attendue mais réelle que le roi et la Cour recevaient de la noblesse libérale et de la bourgeoisie modérée, affolées par le cours des événements. Cette émotion, ou plutôt cette conviction d'un faux pas accompli par la nation l'engageant sur d'aventureux chemins, leur venait surtout du tour pris par les affaires de la religion : la Constitution civile du clergé partageait nettement et le clergé lui-même et les croyants – immense majorité dans la masse des citoyens – en deux partis difficilement conciliables, car le salut éternel de chacun paraissait se trouver en jeu. D'autre part, et le problème n'était pas mince non plus, la situation financière, un moment éclaircie par la mise des biens du clergé à la disposition de la nation, s'assombrissait à nouveau : les prix montaient, la monnaie commençait à se déprécier, la « hideuse banqueroute » dont avait en 1789, parlé Mirabeau, redevenait possible. Enfin le trouble s'étendait aux institutions militaires car, ainsi qu'on l'a vu, l'armée, sourdement travaillée par les révolutionnaires, s'agitait. La Fayette, en voulant la replacer, au cours de l'été 1790, dans les voies de l'ordre et de la discipline traditionnelle avait perdu le meilleur de son audience auprès des patriotes exaltés.

Il était, dans ces conditions, normal que la crise française rebondît au cours du deuxième trimestre de 1790 et du premier semestre de 1791. Il était normal aussi que s'opérassent, au sein même des novateurs, certains reclassements, certaines scissions. Robespierre par tempérament, par principe comme par ambition, avait opté pour le mouvement. Il se détacha donc du peloton des hommes ci-devant de gauche et continua à se porter à l'extrême pointe de la Révolution ; Il s'opposait ainsi de manière décisive à d'anciens alliés qui ne parlaient plus le même langage que lui et chez lesquels il croyait apercevoir timidité, lâcheté et même trahison se substituer au dévouement à la cause du peuple. Chose étrange : à mesure que les Mirabeau, les Duport, les Lameth, les La Fayette le tenaient en suspicion de plus en plus grande et se prenaient à le haïr, ses ennemis les plus acharnés de naguère semblaient mieux le comprendre et l'estimer. Et l'on a la surprise de voir l'abbé Royou, un des royalistes les plus intransigeants, écrire en mars 1791 que Maximilien était certes « un des plus ardents apôtres de la liberté qui en poussait les suites beaucoup trop loin mais qui du moins était conséquent dans ses principes ». Il est à peine utile alors d'ajouter que, dans les milieux clubistes, parmi les patriotes intransigeants, la réputation de Robespierre s'accroissait d'autant et qu'il faisait figure de parangon et presque de seul soutien de la Révolution.

La séparation d'avec Mirabeau se fit la première et le plus complètement. Il n'existait d'accord ni de tempérament entre le grand seigneur cynique, sensuel, railleur, violent et le provincial réservé, appliqué, chaste, ni de principes entre l'homme qui avait peut-être entrevu la solution impériale du roi-dictateur, du despote éclairé et celui qui se référait à la théorie de la démocratie selon Rousseau. La rivalité d'ambition fit le reste. L'astre de Robespierre montait tandis que déclinait l'étoile de Mirabeau, dans la mesure où celui-ci, odieux à la Cour et suspect à l'Assemblée comme aux clubs, se découvrait dans la plus fausse des positions qui faisait crier à la trahison. La querelle, encore sourde, du printemps de 1790 devint ouverte pendant l'hiver de la même année et un débat sur l'organisation de la Garde nationale signifia à l'opinion la rupture. On sait d'ailleurs que Mirabeau, miné par les excès, désespéré de voir ses conseils à la fois bien payés et mal suivis par le roi, devait mourir au printemps de 1791 : il n'était plus, depuis quelques semaines, qu'un cadavre politique.

Simultanément, Maximilien accédait à la plus haute notoriété. Il le devait surtout à un discours prononcé le 16 mai 1791 sur la réélection éventuelle des membres de la Constituante à l'assemblée nouvelle prévue par les législateurs. Il y prenait nettement parti pour le renouvellement intégral, à la fois parce qu'il n'espérait plus rien de députés qui renâclaient décidément devant une évolution complète des institutions comme des mœurs et parce que, en bon démocrate – on serait tenté de dire en bon démagogue – il percevait le sentiment d'une opinion publique déjà dressée contre la profession parlementaire et soucieuse de ne se point confier *ad æternum* aux mêmes politiciens. Sa proposition passa à une écrasante majorité : un certain sentiment de pudeur et de lassitude incitait les constituants à ne point prolonger leur mandat ; d'autre part la Droite, les aristocrates appuyèrent Maximilien, pour des raisons inverses des siennes. Ils n'attendaient plus rien, eux non plus, d'hommes acquis aux idées nouvelles. Peu importait à cette Droite que les électeurs désignassent peut-être une majorité plus révolutionnaire encore que celle de la Constituante : ses conseillers, qui étaient aussi ceux de la Cour, jouaient déjà la politique du pire, celle qui entraînerait les Français bien au-delà de ce que, sans doute, ils désiraient, et provoquerait immanquablement une réaction spontanée, une « révulsion » dont profiterait le souverain. Quant à la presse d'extrême-gauche, elle faisait naturellement chorus et Marat écrivait dans *l'Ami du peuple* : « Nous pouvons espérer de voir l'Assemblée entièrement renouvelée. Nous y perdrons peut-être quelques députés intègres : Grégoire, Pétion et surtout l'incorruptible Robespierre, mais aussi nous n'aurons plus à redouter ces représentants d'ordres privilégiés qui n'existent plus, ennemis implacables de la liberté. » Tel était bien le sentiment de Maximilien lui-même qui savait d'ailleurs que le meilleur de la Révolution se trouvait désormais hors de l'Assemblée, dans les clubs, celui des Jacobins certes, mais aussi celui des Cordeliers, plus violent encore, plus brutal, et avec lequel il a pris un premier contact le 20 avril 1790 en y prononçant un discours sur les conditions de l'éligibilité, discours qui a été acclamé. En tout cas son intervention de mai, à l'Assemblée, et le succès de sa proposition le classent parmi les caciques et il peut se présenter valablement à la présidence de la Constituante le 6 juin 1791 [10]. Il est battu par la coalition de la Droite et des modérés, mais de peu. Sa défaite provient surtout de la défection de certains hommes de gauche, comme Duport, qui l'ont abandonné.

C'est que déjà entre Duport et Maximilien, le conflit devient aigu. Duport, les frères Lameth, auxquels l'opinion donne alors le nom de triumvirat, se trouvent en effet à la fois en lutte contre la dictature occulte de La Fayette et aussi cette force irrésistible que représente Robespierre et qu'ils sentent les déborder sur leur gauche. Le triumvirat a joué de Maximilien contre le héros d'Amérique jusqu'à l'automne de 1790 mais, décidément, l'Incorruptible semble le plus dangereux. Il convient de l'abattre avant qu'il devienne le plus fort. La lutte s'ouvre en mai 1791 à propos, précisément, de la réélection éventuelle des députés. Duport, les Lameth sentent bien que leur influence sur les clubs, sur les masses révolutionnaires est nulle, qu'elle est à peine plus importante sur les couches profondes de la paysannerie, encore attachées par la foi ou la tradition au clergé et à la noblesse. Leur seule force réside dans l'Assemblée, dans ce que l'on appellera plus tard le pays légal : en être exclu équivaut à une condamnation politique sans appel. Il leur faut donc absolument être réélus, ne serait-ce que pour diriger, contenir cette révolution qui maintenant les effraie dans la mesure où elle leur échappe. A Robespierre qui réclame la non-réélection, Duport riposte : « De degré en degré on vous a amenés à une désorganisation sociale...

Croit-on que l'état ordinaire d'un pays soit l'état de révolution ? » Une péripétie inattendue de la plupart, et parfaitement connue des initiés, faillit consacrer la victoire de Duport, des Lameth et la débâcle de Robespierre : la fuite du roi et les incidents du Champ de Mars qui en constituèrent la suite politiquement logique. Depuis quelques mois, Louis XVI voulait se soustraire à la surveillance tyrannique de l'Assemblée et des révolutionnaires parisiens par la fuite. Mirabeau, non sans esprit politique, avait conseillé que la famille royale gagnât une province acquise à la cause du souverain, la Normandie par exemple. On préféra finalement se diriger vers l'Est pour y trouver la protection de Bouillé et de ses troupes. On sait comment l'incurie qui présida à l'exécution matérielle de la fuite du roi aboutit à l'arrestation de Varennes et au piteux retour vers Paris. On sait aussi les sentiments divers et contradictoires suscités à l'Assemblée elle-même par l'affaire. Pour la majorité se découvrait la terrible perspective de la mise en accusation de Louis XVI, l'éventualité de la rupture d'un lien qui tenait ensemble, depuis des siècles, les provinces françaises, le risque d'une totale dissociation de la nation dans le désordre, la guerre civile et l'anarchie. Reculant devant les conséquences logiques qu'aurait dû comporter la fuite à Varennes : déposition du roi, mise en accusation, la plupart des Constituants décidèrent de suspendre seulement le souverain pendant un temps limité et voulurent considérer qu'il n'avait pas été libre de ses mouvements, qu'on l'avait enlevé. Cette habileté subalterne sauvait la continuité du régime, mais à quel prix ! En fait, le peuple de Paris ne se montra pas dupe : le souverain déserteur fut discrédité et un regain d'hostilité apparut contre la reine, la famille royale tout entière, la Cour. Le principe

même de la monarchie commença d'être sérieusement discuté et, non sans cause, de nombreux historiens datent de la fuite à Varennes l'apparition d'un parti républicain en France. Mais, à l'Assemblée, seule une minorité d'extrême-gauche partageait l'indignation et la colère de la foule révolutionnaire. Robespierre, non sans hésitation, non sans interrogation de sa propre conscience, prit finalement le parti de l'hostilité ouverte à l'égard de Louis XVI. Certes il ne s'affirma point républicain. Cependant, dans un discours qui ne fut sans doute pas prononcé, mais seulement publié le 14 juillet 1791, il n'hésitait pas à affirmer que le roi *s'était déshonoré par un parjure* et qu'il n'était plus possible *qu'un tel roi remontât encore sur le trône,* car *le dernier de ses sujets se croirait déshonoré en lui.*

Trois jours plus tard, le 17 juillet, une pétition réclamant la déchéance de Louis XVI et l'instauration d'une république était déposée sur l'autel de la Patrie, au Champ de Mars, à l'instigation des sociétés populaires animées par le club des Cordeliers. On sait encore comment l'Assemblée constituante requit le maire de Paris, Bailly, et le commandant de la Garde nationale, La Fayette, de rétablir l'ordre, fût-ce par la force. Une provocation policière adroitement montée déclencha l'émeute, ce qui permit à La Fayette de faire tirer ses milices. Il y eut des morts et plus encore de blessés. La Révolution modérée aboutissait où elle aboutit toujours : au massacre imbécile et criminel de ceux-là mêmes qu'elle prétend affranchir. Robespierre, lui, bien loin d'avoir été l'inspirateur de la pétition, avait donné des conseils de calme et de prudence, mais ses paroles, depuis le 20 juin, date de la fuite du roi, le désignaient comme un des responsables de l'agitation parisienne et, de fait, lui conféraient une certaine responsabilité morale dans cette triste affaire. La majorité de l'Assemblée lui en voulut à coup sûr et il se sentit en danger. Il ne se cacha pas à proprement parler, comme on l'a écrit, et il émigra moins encore. Mais il prit quelques précautions : on le vit peu à la Constituante pendant quelques jours et il évita de coucher pendant quelques jours aussi à son domicile de la rue de Saintonge. C'est à ce moment qu'il accepta, pour la première fois, l'hospitalité que lui offrait, rue Saint-Honoré, le menuisier Duplay chez lequel il devait, un peu plus tard, s'établir définitivement. Nous y reviendrons. Surtout, il se défendait énergiquement par divers écrits et discours d'être un fauteur de troubles – il était sincère – et même de s'être rallié à la République – ce qui n'était point faux. Il semble probable qu'alors il songeait à un changement de personnel, de dynastie, que suggérait déjà son discours du 14 juillet.

Quoi qu'il en soit, la gauche de l'Assemblée, les Lameth, les Duport, les Barnave pouvaient penser l'avoir compromis dans l'agitation extrémiste et républicaine, avoir éliminé son influence politique dans les cercles du pays légal. Eux-mêmes, maintenant passés du côté du roi sinon de la Cour, quittaient le club des Jacobins pendant qu'une nouvelle société de pensée, la Société de 1789, se constituait et faisait propagande pour qu'une sorte de dictature militaire, de principat, fût confiée à La Fayette. Dans ces conditions, Robespierre n'était plus tenu à aucun ménagement à l'égard de ses anciens alliés passés à la réaction. Le 1er septembre, il attaquait violemment Duport pour son attitude lors de la fuite du roi : il ne le nommait point, mais Duport lui-même se sentit visé lorsque Maximilien parla de la collusion entre les *ennemis du dedans* de la révolution avec *les faux amis de la Constitution qui lèvent maintenant le masque*. Il se produisit alors un violent incident de séance au cours duquel Robespierre demanda au président de *ne pas laisser M. Duport l'insulter*. Et il conclut : *Nous n'avons pas été envoyés ici pour la fortune de quelques ambitieux, pour favoriser la coalition des intrigants avec la Cour et leur assurer nous-mêmes le prix de leurs complaisances et de leurs trahisons*. Un témoin assure que le parti des Lameth « fut accablé par ce discours ».

Le 5 septembre vint le tour de Barnave et des Lameth que Robespierre prit à partie. La rupture entre eux datait sans doute de mai et avait pour prétexte la situation aux Antilles. Les troubles qui s'y produisaient opposaient les planteurs blancs aux noirs, esclaves ou non. Barnave et surtout les Lameth, dont une partie de la fortune consistait en

intérêts importants dans les plantations, demandaient que l'on rétablît l'ordre avec vigueur. Robespierre, qui adhérait avec Brissot, Condorcet, Clavière, à la Société des Amis des Noirs, s'était opposé vigoureusement aux exigences des colonialistes, comme on dirait aujourd'hui. La fuite du roi et l'affaire du Champ de Mars achevèrent de dresser Maximilien contre ses anciens amis, d'autant que Barnave avait pris position nettement pour la thèse de l'inviolabilité du roi [11]. Le 5 septembre donc, l'affaire des colonies revenant à l'ordre du jour, Alexandre de Lameth, au nom des intérêts commerciaux de la France, réclama l'abrogation d'un décret du 15 mai accordant le droit de vote aux noirs libres. Robespierre saisit l'occasion pour déclarer que *les traîtres à la patrie sont ceux qui cherchent à faire révoquer ce décret* et il ajoutait, dans le tumulte : *Si, pour avoir le droit de se faire entendre dans cette assemblée, il faut attaquer les individus, je vous déclare, moi, que j'attaque personnellement M. Barnave et MM. de Lameth.* Cris dans l'assemblée et applaudissements des tribunes. Et ici se pose un petit problème : ces tribunes du public, naguère encore, étaient peuplées par les créatures de Bailly et de La Fayette. Elles semblent maintenant acquises à l'extrême-gauche et notamment à Robespierre. On l'avait déjà vu lors de son attaque contre Duport ; on le constate encore. Il est à présumer que les clubs et surtout les Jacobins ont fait des progrès dans l'art du noyautage...

Quoi qu'il en soit, c'est bien la définitive rupture de l'ancien parti patriote et, lorsque l'Assemblée, quelques semaines plus tard, se sépare, il paraît évident que Robespierre demeure seul, ou presque, parmi les députés, en flèche, à la pointe du mouvement révolutionnaire. Pour lui, la Constitution est bâtarde, le roi suspect, la Cour évidemment et décidément en état de rébellion contre la nation. D'autre part les masques sont levés : les pseudo-patriotes de la Gauche sont ralliés au parti de l'aristocratie. Dans ces conditions, Maximilien ne pense pas que le combat soit terminé, que l'on puisse se reposer sur les positions conquises par le peuple. *Je ne crois pas*, dit-il, le 21 septembre, *que la Révolution soit finie.* Au fait, personne, même les plus optimistes, ne le croyait non plus.

« *Ceux qui jappent si fort contre Robespierre res-
semblent fort aux Lameth et aux Barnave.* »
HÉBERT (Le Père Duchesne - avril 1792)

LA GUERRE OU LA RÉPUBLIQUE

Le 18 décembre 1791, la Société des Jacobins tenait une assemblée d'un particulier éclat dont M. Gérard Walter, dans son ouvrage très documenté sur Robespierre, nous a donné des images très précises et remarquables. Ce jour-là, une foule nombreuse se pressait dans le local exigu où le club réunissait, avec ses membres habituels, un public de curieux et de partisans entassés dans les tribunes qui leur étaient réservées. « Hommes et femmes, sociétaires et invités, se trouvaient entassés pêle-mêle avec, au-dessus de leurs têtes, des grappes humaines suspendues aux barreaux des fenêtres. » La séance débuta, comme à l'ordinaire, par la lecture de lettres qu'adressaient à la société les filiales de province et les nombreux correspondants des Jacobins. Ce n'était pas très amusant, d'autant que ces lettres étaient rédigées dans l'incroyable style de l'époque, tout plein d' « hydres dressées contre la liberté », de « poignards tyrannicides » promis aux ennemis de la Révolution, de dénonciations souvent abusives et d'éloges alambiqués pour les grands hommes de la faction jacobine. Ces litanies furent interrompues par une sorte de procession rappelant un peu les cortèges qu'organisaient récemment, au Palais des Sports, les promo-

59

teurs des réunions internationales de boxe : trois drapeaux aux couleurs françaises, anglaises et américaines s'avancèrent au milieu d'une compagnie de citoyennes vêtues de blanc, couleur de l'innocence et de la vertu. Deux d'entre elles, « naïves comme la Liberté, intéressantes comme la Liberté », portaient une arche d'alliance, symbole de l'indéfectible amitié entre les peuples. D'autres suivaient avec les bustes en plâtre de Robespierre et de Pétion « qu'un artiste sourd-muet avait offert à la société ». Les jeunes filles, les drapeaux et les bustes furent installés en grande pompe à la tribune d'honneur aux côtés d'un délégué de la Société constitutionnelle de Londres venu assurer les Jacobins de l'amitié que celle-ci portait à la Révolution française. Une des dames adressa un discours de félicitations au Britannique « ami et frère ». Après quoi le président en exercice félicita la citoyenne de son discours et finalement l'Anglais félicita tout le monde. La séance se perdit alors dans la réclamation que firent plusieurs membres pour que l'on exposât d'autres bustes, d'autres héros de la liberté. On s'égarait définitivement dans la remise d'une épée d'honneur offerte par un « patriote helvétique » au « premier général français qui aurait terrassé un ennemi de la révolution », et Isnard, député à la Législative et ami de Brissot, entamait un discours belliqueux, lorsque Maximilien Robespierre intervint sèchement. En quelques phrases, il fit cesser cette mascarade naïve qui tournait à la chienlit chauvine et bientôt les véritables débats commencèrent, débats au cours desquels Robespierre encore prononça un grand discours sur le problème de la guerre et de la paix, le premier d'une longue série au terme de laquelle le parti jacobin, patriote, se trouverait, une nouvelle fois, coupé en deux factions irréductiblement opposées l'une à l'autre.

Qu'aujourd'hui tel homme politique notoire, battu ou écarté des élections, prononce devant une instance de son parti un discours remarqué et applaudi, nous n'en tirerions que peu de conséquences : l'homme n'est pas au pouvoir, ses résolutions apparaissent académiques et le moindre geste d'un ministre en exercice revêt plus d'importance que le meilleur discours non suivi d'effets. Mais, c'est que, théoriquement au moins, nous vivons dans une société organisée, dans un État convenablement articulé, au milieu de pouvoirs agissants. Les choses semblaient alors bien différentes et l'action oratoire d'un Robespierre remuait plus les Français que les initiatives de députés sans expérience, maladroits, peu conscients de leur rôle dans l'État, ou même de ministres tout empêtrés dans des fonctions dont ils ne savaient exactement comment user. Au fait, une expérience récente a pu nous donner l'idée d'une situation pareille où le pouvoir réel se trouve ailleurs que dans le pays légal.

Ce déplacement, sinon des responsabilités, du moins de la puissance politique, Robespierre l'avait parfaitement saisi dès les premiers jours où l'Assemblée législative avait remplacé, en vertu de la Constitution de 1791, les anciens États Généraux. Il avait reconnu que les nouveaux représentants, inexpérimentés et indécis, pèseraient peu en face d'un pouvoir exécutif qui bénéficiait de la continuité. Il se doutait aussi que le peuple n'était pas mûr pour l'exercice normal de la démocratie. On s'est souvent étonné que ce peuple se soit, à chaque phase de la Révolution, jeté sans cesse toujours « plus à gauche ». Il existe là quelque illusion : les élections innombrables et répétées prévues par la Constitution de 1791 réunissaient parfois un tiers, plus souvent un quart ou un cinquième des électeurs inscrits. La masse de ceux qui eussent fait prévaloir la révolution « modérée » ne s'intéressait visiblement pas à la vie publique parce qu'elle ne la comprenait pas encore. On raisonne toujours à son sujet comme si deux siècles, ou presque, d'expérience politique lui étaient déjà acquis ! Demeuraient en fait seuls en présence les anciens cadres aristocratiques, plus ou moins bien soutenus par les prêtres réfractaires, persuadés que de l'intrigue et de la force conjuguées pouvait seulement venir le salut du roi – et une minorité activiste de gauche (celle qui votait) animée par les sociétés populaires. Maximilien saisissait fort bien que l'avenir appartenait à ceux-ci ou à ceux-là, non à la masse indifférente. Il ne pouvait ni par tempérament ni par principe se rallier à la Cour. Il ne lui restait donc plus qu'à s'appuyer solidement sur les militants de l'extrême-gauche révolutionnaire, même lorsqu'ils choquaient en lui – on le verra – certains goûts, certaine prudence politique secrète. Il lui fallait surtout la faveur des Jacobins. Quant aux Duport, aux Barnave, aux Lameth, qui n'étaient rien au peuple révolutionnaire, qui auraient pu s'appuyer seulement sur les modérés, s'ils avaient politiquement existé, ils disparurent d'un seul coup comme dans une trappe. Ils ne sortirent désormais du gouffre de l'anonymat que pour monter les marches de la guillotine. Mais ce destin n'a rien eu de surprenant : il était inscrit dans les faits qui marquaient, qui jalonnaient depuis son début, la Révolution.

Par leur réseau de filiales, les Jacobins de Paris, on le sait déjà, constituaient la force politique essentielle au service des idées nouvelles. Conquérir la Société, et presque s'identifier à elle, devint, dans les derniers mois de 1791, l'objectif premier de Robespierre. C'est en partie à cette préoccupation que correspond le long voyage qu'il fit, à l'automne, dans le nord de la France et qui le conduisit de Bapaume à Lille en passant par Béthune et Arras. Partout reçu par les Jacobins locaux et partout applaudi des cercles avancés, il renouvela les sources de sa popularité et en usa pour conseiller de se montrer moins timide dans l'achat des biens du clergé mis à la disposition de la nation : il comprenait très bien qu'il fallait, dans tout le pays, créer une nouvelle classe de propriétaires qui devraient tout à la Révolution, qui deviendrait

en quelque sorte conserva-
trice de cette même Révolution. Il semble que cette
tournée de propagande ait été
aussi une tournée d'adieux à
sa province natale. Car Maximilien ne s'illusionnait guère :
seuls les patriotes de l'extrême-
gauche l'admiraient et le suivaient. Désormais son destin
se trouvait à Paris, et seuls
d'amers souvenirs pouvaient
encore l'attacher à Arras et à sa
bourgeoisie méfiante et jalouse,
réactionnaire en tout cas. Sa
rupture éclatante avec les
Lameth avait achevé de tourner contre lui la majorité de
ses concitoyens. A son retour
dans la capitale, Maximilien
se consacra exclusivement aux
Jacobins de Paris qui avaient
suivi avec admiration son
triomphal périple à travers les
sociétés-filles de province. Presque
que quotidiennement, il inter-

vient dans les débats de la Société, en devient la cheville ouvrière, s'y constitue une clientèle fidèle et parfois fanatique. Le Girondin Louvet lui reprochera plus tard d'avoir accaparé la faveur du club, de s'être fait des tribunes bien à lui, d'avoir créé une camarilla hostile à tout autre qu'à l'Incorruptible. Ce reproche nous paraît bien plutôt comme un éloge, s'il est vrai qu'un homme politique, pour faire triompher ses

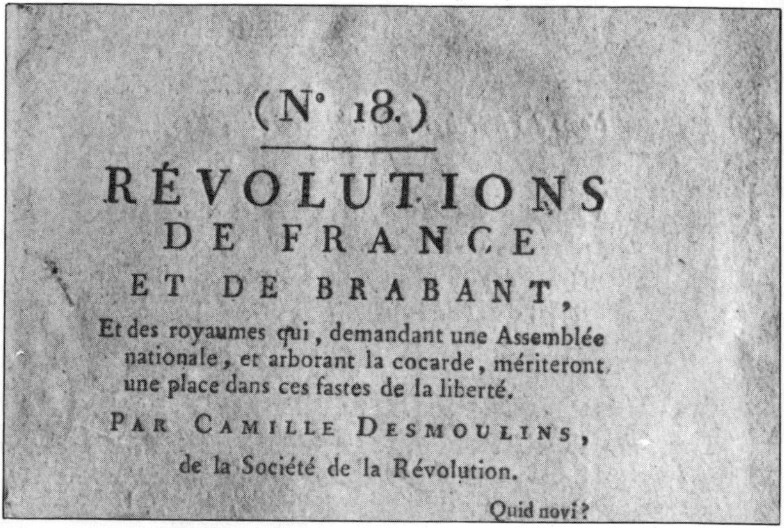

(N° 18.)

RÉVOLUTIONS
DE FRANCE
ET DE BRABANT,

Et des royaumes qui, demandant une Assemblée nationale, et arborant la cocarde, mériteront une place dans ces fastes de la liberté.

PAR CAMILLE DESMOULINS,

de la Société de la Révolution.

Quid novi ?

idées, pour imposer ses solutions, doit pouvoir compter sur un outil solide de propagande et d'action. Au reste, Robespierre ne négligeait point pour autant le grand public et il comprit très vite qu'il lui fallait aussi un journal qui lui fût dévoué. Il savait certes bénéficier de l'appui et des éloges que lui prodiguaient Marat et son *Ami du peuple*, Hébert et son *Père Duchesne*, Desmoulins et ses *Révolutions de France et de*

Brabant. Mais il n'ignorait point que la presse d'opinion est versatile et qu'un conflit de principe ou même de personne était susceptible de lui aliéner très vite tel ou tel de ses amis politiques. Il lui fallait une feuille bien à lui où il écrirait ce qui lui plaisait. On savait, dans les cercles jacobins, ses intentions. Les offres de concours financiers et rédactionnels ne manquèrent point, et même certains ministres essayèrent de prendre une option sur le futur journal de l'Incorruptible afin de le « tenir », le cas échéant. Les uns et les autres se prodiguèrent en vain. Avec des capitaux qui provenaient en grande partie de son logeur Duplay, que l'on se figure trop souvent comme un humble artisan parisien et qui était en réalité un entrepreneur en menuiserie assez fortuné et habile en affaires, avec l'aide d'un jeune patriote de famille aisée mordu par le journalisme, Lacroix, Maximilien put monter *le Défenseur de la Constitution,* " son " journal, dont le premier numéro parut le 17 mai 1792. Pour avoir les coudées plus franches, Robespierre n'avait pas hésité à démissionner du poste d'accusateur public au tribunal criminel de la Seine auquel il avait été élu l'année précédente et où il était barré par des collègues royalistes ou modérés. Le voilà donc en possession, d'une part d'un réseau de partisans dévoués, d'autre part d'un organe de presse que suit avec passion le public révolutionnaire : il dispose donc d'armes redoutables et efficaces au service de ses idées et de sa personne. On a voulu voir dans cette action méthodique et intelligente le signe d'un machiavélisme remarquable au service d'une ambition effrénée. Nul ne saurait nier que Robespierre fût habile politicien, nul non plus qu'il fût animé par un désir d'agir et de briller commun à tous les hommes publics dignes de ce nom. Mais il est presque impossible de discerner la part de la cristallisation spontanée qui s'opéra autour de sa personne, et ce trait encore est commun à son destin et à celui des grands de la politique et de l'Histoire. Leur « aura », autant que leur métier, explique la place qu'ils tiennent dans la vie des peuples.

Il serait vain de croire, d'ailleurs, que l'autorité de

65

Robespierre sur les Jacobins comme son obstination à posséder un journal apparaissent comme des actes gratuits dictés par l'orgueil ou des précautions utiles à un avenir encore incertain. En fait, Maximilien, pendant les mois de l'hiver 1791 et du printemps 1792, lutte pied à pied pour faire triompher, dans un grand problème, dans le grand problème qui se pose à la Révolution, ses idées propres : il a besoin de toute sa popularité, de toute son influence, car l'on débat de la guerre et de la paix, car le sort même de la Révolution se trouve en jeu.

L'objet de ce livre n'est point de raconter l'histoire de la Révolution elle-même, mais on conçoit l'impossibilité de déterminer la place de Robespierre au milieu de ce vaste remuement d'idées et de faits si l'on ne dessine parfois les lignes générales des événements dans lesquelles s'inscrit son action personnelle. On nous pardonnera donc une apparente digression indispensable à la bonne intelligence de ce récit.

La Révolution, longtemps humanitaire et qui avait déclaré la paix au monde, changeait de mois en mois de visage par la vertu même des principes sur lesquels elle reposait. Le droit de libre disposition qu'elle reconnaissait aux peuples, ses appels à la justice et à l'égalité contre la tradition féodale, ne demeuraient pas sans écho au dehors et, en partie malgré sa propre volonté, elle faisait souvent à l'étranger, figure de modèle. Par là elle inquiétait bien des intérêts et elle blessait bien des sentiments. En outre, l'inextricable complication territoriale de la monarchie française posait d'urgents problèmes : certaines provinces mi-françaises, mi-étrangères par leur statut juridique ou leur état démographique, telles que les fiefs alsaciens du saint Empire et le comté d'Avignon, se trouvaient entraînées dans l'élan imprimé à toute la France par la Révolution. En vain protestaient le pape et les princes allemands « possessionnés » contre l'élargissement à leurs domaines des lois dictées par la Constituante : la masse se rebellait et se proclamait française d'abord et patriote. Paris ne pouvait fermer l'oreille à ces appels et ne pouvait méconnaître le don que lui faisaient spontanément ces Français de volonté en partie séparés. Les choses s'aigrissaient donc entre la Révolution et l'Europe.

D'autant que soufflaient sur le feu les émigrés. La noblesse de haute volée et, parfois aussi, des hobereaux avaient commencé leur exode dès l'été de 1789, affolés par les troubles de Paris, la Grande Peur et l'anarchie commençante dans les provinces. Le mouvement des fédérations, en 1790, avait un peu freiné le mouvement qui reprit avec force à l'automne de 1791. Les émigrés se rassemblaient près des frontières, dans la vallée inférieure du Rhin, aux alentours surtout de Cologne et de Coblentz [12], avec l'approbation un peu embarrassée de l'empereur et de la Prusse. Ils y constituaient une force politique et militaire menaçant du dehors la sécurité de la France. En même temps ils essayaient de secouer l'apathie de Berlin et de Vienne en montrant – ce qui était fort bien vu – que la Révolution (preuves en étaient les affaires d'Avignon et d'Alsace) ne se limiterait pas aux frontières de la France, qu'elle déborderait comme un torrent sauvage et submergerait les autres monarchies. En bref, les émigrés comprenaient parfaitement le pouvoir d'expansion des grands principes. Ils émurent peu à peu les chancelleries d'abord prudentes et surtout sensibles à nos désordres intérieurs où s'enlisaient, du moins elles le croyaient, notre force matérielle et notre prestige. En outre, depuis que l'Église catholique se trouvait coupée en deux corps rivaux et irréconciliables, depuis la Constitution civile du clergé, l'émigration possédait des correspondants et, dans une certaine mesure, des complices parmi les prêtres réfractaires. Menacée du dehors, la Révolution risquait d'être noyautée au-dedans.

Il existait là un incontestable danger. Mais les patriotes n'étaient pas d'accord sur les moyens de le combattre. Pour tout un clan, animé par ceux que Lamartine appellera les Girondins et que l'on nommait alors Brissotins (de son chef Brissot), il fallait écraser dans l'œuf la conspiration du dehors qui était la plus dangereuse. Brissot lui-même, bon journaliste et orateur non sans talent, tenu pour patriote irréprochable, exprimait parfaitement l'opinion de ses amis lorsqu'il disait le 16 décembre 1791, devant les Jacobins de

Brissot

Paris : « Voulez-vous détruire d'un seul coup aristocrates mécontents, prêtres réfractaires ? Détruisez Coblentz ! Coblentz détruit, tout est tranquille au-dehors, tout est tranquille au-dedans. » Mais on voit bien à quel danger exposait une action de force contre les émigrés de Coblentz : l'aventure d'une guerre contre les princes allemands du Rhin qui s'étendrait presque nécessairement à l'empereur et vraisemblablement à la Prusse. Cette aventure particulièrement chanceuse, Robespierre et les siens, non sans avoir hésité, la jugeaient finalement criminelle. Maximilien ne peut être considéré comme un pacifiste au sens moderne du terme. Il faut absolument se défaire, à l'égard des hommes de la Révolution, de toute idée de ce genre. Le respect de la vie humaine, au-delà des contingences dont elle peut être affectée par la nécessité politique ou sociale, leur est absolument étranger. Mais Robespierre avait de multiples raisons de croire au danger que représentait pour la Révolution, identifiée, dans son esprit, absolument avec la France, une guerre. Il lui paraissait d'abord que le véritable obstacle à la marche des événements se découvrait à Paris plus qu'à Coblentz et que les intrigues des émigrés prenaient de l'importance seulement dans la mesure où elles étaient soutenues par la Cour, le roi, les forces de l'opposition intérieure. Écraser celles-ci suffirait à rendre vaines les manœuvres de Condé, le chef des émigrés, et de ses partisans. En outre l'Incorruptible savait mieux que personne, pour avoir contribué à les ruiner, le pitoyable état de nos forces militaires : discipline chancelante, cadres douteux, haut commandement suspect. L'échec était donc possible, et prévisible par conséquent, ou bien l'invasion avec ses conséquences inévitables pour la France et la Révolution et dont les grands chefs militaires, La Fayette en tête, seraient les agents. Or, pour Robespierre, ce mouvement marquerait la fin de la Révolution véritable. Nous aurons à revenir sur ses sentiments à l'égard de La Fayette, mais il faut d'ores et déjà noter que la crainte d'une dictature militaire, camouflée sous les apparences de l'obéissance au roi, obsédait son esprit. Bonaparte devait, avec quelques années de retard, justifier les appréhensions de Maximilien.

Entre le clan de Brissot et celui de Robespierre, les Jacobins hésitaient. Au cours des mois de décembre 1791, de janvier et février 1792, la querelle fut portée presque chaque jour devant le club avec des avantages divers. Robespierre avait pour lui Billaud-Varenne, Desmoulins et, malgré quelques réticences, Danton. Contre lui, Carra, Rœderer, Louvet, Guadet soutenaient Brissot. On répétait sans lassitude les mêmes arguments, on se jetait à la tête les mêmes raisons. Comme il est naturel, le débat s'aigrit bientôt. Robespierre, affirmaient Brissot et ses amis, se trompe gravement et avec obstination. On peut le suspecter d'attaches ignobles avec la Cour, le Comité autrichien (mythique), les prêtres. On attaquait Maximilien pour son attachement à l'idée et au culte de l'Être Suprême, hérité de Rousseau. Brissot, ripostaient les amis de Robespierre, sait que la guerre sera malheureuse ; il avoue son espoir de voir le roi

lever le masque et se compromettre avec les ennemis de la France. Il cherche manifestement un changement de dynastie pour mettre sur le trône Philippe d'Orléans et gouverner sous son nom. Il trahit les vrais intérêts de la Révolution. Il cherche son intérêt particulier et non le bénéfice commun.

La décision appartenait finalement à l'Europe et à l'Assemblée. Or, le 1er mars 1792, l'empereur Léopold mourut et fut remplacé par son neveu François. L'événement parut heureux aux révolutionnaires français, Robespierre compris. On ne fut pas longtemps à s'apercevoir que Léopold au fond retenait, plus qu'il ne les excitait, les émigrés et les princes allemands, que François, plus jeune, plus ardent, plus attaché à sa parente Marie-Antoinette, se montrait favorable à un conflit armé. De son côté, l'Assemblée législative était travaillée à la fois par la gauche brissotine belliqueuse, le parti aristocratique qui désirait une guerre courte et désastreuse afin de rétablir le pouvoir royal et les Fayettistes qui attendaient les succès éclatants du « héros des deux mondes » afin de le porter au pouvoir suprême. Les pacifiques furent bientôt en minorité. Un ministère belliqueux où entraient les amis de Brissot se substitua à l'ancienne et plus prudente équipe [13]. Et, le 20 avril 1792, Louis XVI, non sans hésitation, non sans remords, vint proposer de déclarer la guerre au « roi de Bohême et de Hongrie », pauvre habileté visant à dissocier le souverain de Vienne des autres princes allemands, surtout le roi de Prusse. Robespierre était battu, mais les Girondins, les Brissotins, principaux artisans du conflit, venaient de se condamner eux-mêmes car, de la guerre difficile, de la guerre parfois désastreuse, devait nécessairement naître une dictature révolutionnaire qui ne les épargnera pas.

Ce que nous avons le plus à craindre, c'est la guerre, avait dit un jour Robespierre devant les Jacobins. Prévision juste pour la France et non moins exacte pour la Révolution. Les débuts furent ce que l'on pouvait attendre d'une armée

incertaine de sa cause et de chefs militaires hostiles au régime ou incapables : partout, aux frontières, l'échec et parfois le désastre, le désastre honteux comme cette panique de Monchantin où, à la vue de quelques hussards autrichiens, trois régiments s'enfuirent sans même avoir abordé l'ennemi. Peut-être même la trahison avait-elle livré nos plans stratégiques à l'adversaire. Il est vrai que les nations vaincues se croient souvent trahies alors qu'elles devraient accuser leur seule faiblesse.

En tout cas, Louis XVI tire les conséquences des défaites. Jugeant le ministère brissotin discrédité, il le renvoie et le remplace par des modérés. Il n'a pas pris conseil que de lui-même. La Fayette, depuis les armées, ne cesse de l'encourager dans la résistance à la Gauche et de réclamer la fermeture des clubs révolutionnaires, la dissolution de l'Assemblée. Les Lamethistes, Duport, appuient, dans leurs journaux, cette politique. La manœuvre que pressentait Robespierre, qu'il avait annoncée et dénoncée, s'accomplit : la guerre malheureuse va servir de prétexte à un coup d'État fayettiste, militaire, qui ramènera en France les émigrés et rétablira l'ancien régime. Alors éclate la grande colère de Maximilien contre La Fayette, dans lequel il voit le *deus ex machina* de cette affreuse intrigue. Il l'a toujours suspecté et détesté – question de peau sans doute d'abord –, et a commencé à le dénoncer au cours de l'été 1790 quand le « héros des deux mondes » rétablissait brutalement la discipline dans l'armée travaillée par les révolutionnaires. L'hostilité s'est muée en haine après les événements de juillet 1791 et la fusillade du Champ de Mars. Maximilien n'a cessé depuis de dénoncer La Fayette comme l'instigateur ou le complice de tous les complots réactionnaires. Il le tient pour *une misérable idole, un héros ridicule, le plus infâme de tous les assassins du peuple.* Le civisme *fastueux* de ce *patricien militaire* lui fait horreur et sa *politique dangereuse* aura pour terme le *despotisme militaire.* Maximilien se persuade même que La Fayette ne médite rien moins que supplanter le roi et il adjure Louis XVI de se méfier : *Le roi croit-il que La Fayette ne se souille de tant de crimes et ne brave la colère d'un*

la Fayette traité comme il le mérite, par les démocrates et les Aristocrates.

grand peuple que pour prendre une puissance illimitée au prince qu'il a lui-même dégradé autant qu'il le pouvait ? Et cette crainte du général compte assurément pour beaucoup dans la méfiance avec laquelle l'Incorruptible accueille alors l'idée d'une république dont Brissot et ses amis, déçus par le roi, se font les champions : *J'aime mieux voir, écrit-il, une assemblée représentative populaire et des citoyens libres et respectés avec un roi qu'un peuple esclave et avili sous le règne d'un sénat aristocratique et d'un dictateur. Je n'aime pas Cromwell plus que Charles Ier.* Il se méfie alors des mesures extraordinaires que proposent les Girondins pour rétablir la situation : *Pourquoi laisserais-je croire qu'il faut s'élever à ces mesures extraordinaires que le salut public autorise pour demander la punition d'une Cour conspiratrice, des généraux traîtres et rebelles, la destitution des directoires contre-révolutionnaires,*

73

l'exécution de toutes les lois qui doivent protéger la liberté politique... lorsque ce ne sont là que les devoirs les plus rigoureux que la situation impose à nos représentants. Sa crainte est que, sous prétexte d'ordre public, on ne revienne à la terreur de juillet 1791, l'on ne bâillonne les vrais démocrates, on ne mutile le nerf de la Révolution. La monarchie, la Constitution, l'Assemblée sont, pour l'heure, de moindres maux dont il faut s'accommoder, et Robespierre désapprouve la journée révolutionnaire du 20 juin par laquelle les Brissotins essaient d'imposer au roi, le retour de leurs hommes au gouvernement.

Cette attitude, apparemment en retrait sur le parti girondin, se maintient jusqu'à la période qui

va du 20 au 25 juillet 1792. A cette date, apparemment encore avec soudaineté, Maximilien se porte aux extrêmités du mouvement jacobin [14]. Pourquoi ? Il n'existe à ce revirement ni hasard ni mystère. Rien, pour cet esprit méthodique, calculateur, n'est improvisé : les raisons les meilleures, en bonne logique robespierriste, ne manquent jamais même lorsqu'elles paraissent d'abord cachées. Il existe d'abord, bien sûr, un motif qui ne s'avoue point : le sentiment juste de se trouver en arrière de la main par rapport à l'opinion moyenne des révolutionnaires que chauffent à blanc les événements eux-mêmes et la propagande brissotine du printemps 1792. Robespierre n'a pas toujours une intuition exacte

des mouvements de la masse - nous aurons l'occasion de le constater – mais il possède un sens parfaitement sûr de l'opinion moyenne en temps de crise, et il n'entend point se laisser dépasser, effacer par de pseudo – révolutionnaires qui n'ont finalement en vue – il écrit – que *remplacer des patriciens par d'autres patriciens, des intrigants par d'autres intrigants, des abus par d'autres abus et qui voient le salut de l'État dans un changement de ministère.* Mais surtout les événements, depuis quelques semaines, s'accélèrent singulièrement et, à moins de passer pour l'homme du roi, de la Cour, du « Comité autrichien », il ne peut plus se dérober à une action énergique contre le régime. On sait en effet que l'invasion, surtout vers l'Est, progresse de jour en jour, que les forteresses de Vauban, rempart de la patrie, sont sur le point d'être investies, qu'au début d'août, fâcheusement conseillé par l'émigré de Linon, le duc de Brunswick, commandant en chef des troupes prussiennes, publie un manifeste vouant Paris à « une subversion totale ». En face, le roi équivoque : il accepte de dissoudre sa garde personnelle (et constitutionnelle) parce qu'on la répute un foyer d'intrigues aristocratiques, mais il refuse de sanctionner un décret qui aggrave les mesures contre les prêtres réfractaires et un autre décret organisant un camp de fédérés sous Paris. Sa trahison, au sens où l'entendent les révolutionnaires, devient patente. D'autre part, la population parisienne, secouée par un décret déclarant la patrie en danger, bouillonne : partout se dressent des estrades sur lesquelles les volontaires viennent signer leur engagement dans un concert de cris, de chants, de roulements de tambours ; partout la fièvre monte, entretenue par les discours des orateurs patriotes et par l'arrivée en petits paquets des volontaires de province dont certains chantent l'hymne de l'Armée du Rhin, que les Parisiens appellent Marseillaise pour l'avoir entendu la première fois dans la bouche des fédérés du Midi. Le temps n'est donc plus aux discussions prudentes, réfléchies, à la bataille de club ou d'assemblée. Il réclame l'action immédiate et violente. D'autant que les Brissotins, eux aussi, lèvent le masque et semblent passer à la contre-révolution. Oh certes ! ils n'avouent pas les liens

qui viennent de les unir au roi et à la Cour, mais Robespierre,
admirablement renseigné à son habitude, sait parfaitement
que des négociations se sont engagées entre ces républicains
de carnaval et le souverain, qu'en échange de la promesse de
calmer l'émotion populaire, Brissot et ses amis doivent recevoir des portefeuilles, des places, que leur chantage à l'émeute
a réussi et leur vaut l'espoir d'une prochaine carrière gouvernementale, et que leur attitude est si amicale que Louis XVI,
rassuré - le pauvre homme ! – sur l'avenir, vient de refuser
un projet de fuite que La Fayette lui a fait soumettre. En
vérité, les apprentis sorciers de la Gironde s'effraient sans
doute aussi des forces immenses que leur bellicisme d'abord,
puis leurs ambitions déçues ont animées. Ils voudraient bien
maintenant faire machine en arrière. Mais reculer, dans l'état
d'urgence où se trouvent la France et la Révolution, revien-
drait à capituler. L'heure de la décision a sonné. Robespierre,
répudiant toute compromission, renonçant au rapprochement
qu'il avait un moment esquissé, à la fin de juin, avec les
Brissot, les Guadet, les Vergniaud, se lance dans la bataille.
Il apporte encore une fois à la Révolution l'implacable rigueur
de sa raison et la froide passion de son cœur.

Il n'existe sans doute pas, dans toute l'histoire de la Révolution, une période plus confuse, plus mal connue que celle comprise entre le 10 août 1792, date où la monarchie disparaît dans l'émeute, et celle du 20 septembre de la même année où se réunit la nouvelle assemblée constituante, la Convention nationale. On a vraiment, à l'étudier, le sentiment d'un chaos dans lequel un monde s'efface et meurt, un autre monde apparaît dans des convulsions que l'on voudrait héroïques, admirables et qui semblent trop souvent médiocres et repoussantes. Au-dedans luttent farouchement, sauvagement deux pouvoirs, l'un déclinant, celui de l'Assemblée législative, l'autre visant à s'imposer par tous les moyens, celui de la Commune insurrectionnelle. L'issue du débat ne fait d'ailleurs aucun doute dès le début : la Commune possède la force, c'est-à-dire les militants insurgés du 10 août qui n'ont point déposé leurs armes, alors que l'Assemblée s'épuise vainement en discours et en ordres du jour. On éprouve même parfois l'impression que l'insurrection légitime, si l'on peut dire, se trouve dépassée, au début de septembre, par des forces obscures nées de l'Unterwelt, des profondeurs les plus secrètes de la société, suscitées beaucoup par les événements eux-mêmes, mais aussi par la provocation et par les ambitions ou les peurs de certains dirigeants de la Commune. Ce sont ces forces qui éliminèrent cruellement des innocents, des irresponsables détenus dans les prisons, sous prétexte de complot contre la France et contre la Révolution. On peut croire aussi que les massacreurs de septembre eux-mêmes sont, en partie, des hommes sincères affolés par les dangers mythiques que court l'insurrection, en partie des réalistes conscients de la véritable menace pesant sur le nouveau régime. Rien n'est clair : on devine plus qu'on ne sait. Danger mythique, parce que les prêtres réfractaires, les réactionnaires, aristocrates ou non, et les filles de petite vertu raflés depuis trois mois et qui peuplent les prisons de Paris ne constituent pas une force bien sérieuse capable de ruiner la Révolution. Mais menace qui n'est point vaine, car il serait absurde de méconnaître le poids des événements aux frontières, ces frontières qui apparaissent d'abord si lointaines, mais toutes

Archiver M^{alles}

N°. 222.

DÉCRET

DE L'ASSEMBLÉE NATIONALE.

Du *vingt un Septembre* 1792.

L'an Quatrième de la Liberté.

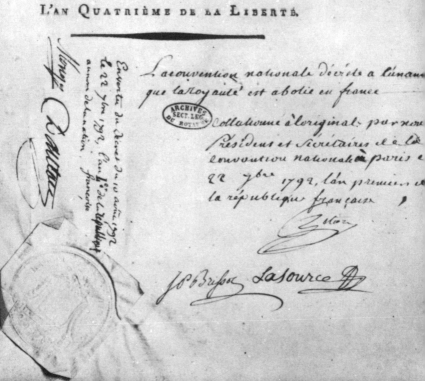

La convention nationale décrète à l'unanimité que la Royauté est abolie en France

Collationné à l'original par nous Présidens et Secrétaires de la convention nationale à Paris ce 22 7bre 1792, l'an premier de la république française,

Billon

J. P. Brissot   Lasource

proches si vient à s'affaisser la résistance de l'insurrection. Verdun, la citadelle clé de l'ensemble conçu et réalisé par Vauban, Verdun vient de céder après un pseudo-combat ; les dames de la ville dansent au son des violons avec les officiers prussiens et une brèche s'ouvre dans la défense du pays. Les défilés de l'Argonne, les « Thermopyles » de la France, sont découverts, au-delà desquels s'ouvrent la plaine et le système des vallées convergeant vers Paris. La voie de l'invasion est ouverte ; l'occupation d'une partie du territoire national doit logiquement suivre, avec la dislocation annoncée de l'unité territoriale et les effroyables représailles promises dans le manifeste de Brunswick.

Ces perspectives affolent les masses révolutionnaires dont le soleil implacable d'août surchauffe la colère. Elles rendent les politiques, d'habitude accessibles à l'indulgence, consentants à l'action des brutes et des fauves. Elles guident – il n'en faut point douter – l'action des principaux chefs du système qui veut s'installer sur les ruines de la monarchie. Parmi eux, Robespierre semble l'un des plus actifs. Il voit la Révolution au bord de l'abîme, sa propre cause compromise, ses principes près de la ruine, son idéal compromis. Il croit discerner d'étranges complicités entre la Cour traîtresse, l'étranger menaçant et ses adversaires personnels, les Brissotins. Il faut donc que tous les ennemis de la Révolution périssent ensemble. Il ne lui suffit plus que le pouvoir du roi se trouve ruiné, que s'écroule définitivement un ancien régime qui tardait à disparaître dans les faits comme il avait théoriquement disparu dans les lois. Il faut aussi que l'arrière-garde de la conservation, de la réaction s'effondre avec le reste. On peut croire que son état d'esprit ne diffère pas alors très sensiblement de celui où l'on voit les Danton, les Marat, les Billaud-Varenne, les Collot d'Herbois, les Santerre, les Legendre, tous ceux qui luttent depuis un mois avec acharnement, avec plus ou moins de sincérité, plus ou moins d'efficacité, mais somme toute ensemble, pour faire franchir à la Révolution un pas décisif. Qui ne gagnera pas perdra, qui perdra disparaîtra, non point au sens figuré mais physiquement. La question de peau est posée avec celle de l'homme, du sens de la vie, de la force de l'État, de la structure de la société. Nous touchons l'apocalypse de ce temps. Robespierre dénonce Brissot, Condorcet, Guadet, Gensonné et les confond, non sans apparence de raison, avec les modérés d'hier, les Duport, les Lameth, les Barnave. Il ne tient pas à lui qu'ils ne soient emprisonnés, englobés dans le massacre des prisons. Ses discours incendiaires, à la veille des jours sanglants de septembre, lui font porter une terrible responsabilité dans les excès des égorgeurs. Il a fallu, pour sauver au moins et provisoirement les Girondins, de puissantes interventions, celle de Pétion, le maire de Paris, celle de Danton peut-être, ministre de la Justice du gouvernement provisoire. Robespierre ne pardonnera ni à l'un ni à l'autre. Telle est bien la terrible, la normale logique des révolutions.

Les massacres sont une sorte de Mers-el-Kébir bien avant la lettre. Que l'on nous comprenne. Les responsables politiques ne laissent pas tuer pour le plaisir de tuer, mais pour prouver, pour attester qu'ils coupent, avec les têtes, les ponts. La Révolution sera replongée dans le néant, ou bien elle vaincra (on trouvera les mêmes motifs dans la condamnation et l'exécution du roi). Voilà l'aspect tragique et presque grandiose de l'événement. Mais il revêt aussi un aspect sordide, car les massacres constituent également une opération électorale : il s'agit de terroriser les modérés autant que les aristocrates et de les dissuader de participer au scrutin à la Convention Nationale. Oh ! de toute manière il ne fallait pas s'attendre à un afflux vers les bureaux de vote ! Beaucoup trop de Français désapprouvaient le tour pris par les événements ou ne les comprenaient plus ou ne s'y étaient jamais intéressés. Mais au moins pouvait-on attendre que tous les patriotes, tous les Jacobins d'hier, participassent à la consultation, et, parmi eux, Brissot et ses amis possédaient de nombreux partisans. L'opération réussit : Robespierre a régné en maître sur l'assemblée électorale de Paris ; il a assuré la victoire des extrémistes, de ceux que l'on appellera bientôt les Montagnards. Il a fait par contre échouer les Girondins, les Brissot, les Pétion. Mais ceux-ci ont trouvé refuge en

BATAILLE DE VALMY.

province et, de Bordeaux à Marseille, de Marseille à Rouen, leur succès fut, sinon éclatant, du moins évident. Si bien que la Convention nationale, dont la première réunion se tient au lendemain de la victoire de Valmy, présente un curieux visage. A droite, si l'on peut dire, un parti républicain mais girondin, inquiet pour la liberté, la propriété privée, nourri de fiel contre Paris qui l'a écarté, passionné de vengeance contre la Commune et ses hommes qui l'ont menacé. A gauche, une poignée de Jacobins montagnards élus par la capitale et quelques grandes villes, plus épris d'égalité que de liberté, fortement appuyés sur les insurgés du 10 août. Entre les deux factions, un énorme Centre, souvent muet, où se dissimulent assurément de nombreux royalistes, tremblant de crainte dans le fracas de règlements de comptes qui ne le concernent point, prêt à se porter d'un côté ou de l'autre, là où se trouveront les plus actifs, les plus efficaces, les plus forts. Et, tout autour, Paris, dont nous ne connaissons et ne connaîtrons sans doute jamais autre chose que la « croûte » révolutionnaire, la surface acquise aux extrémistes, mais où se cachent partout la conspiration, la haine, la contre-révolution avec, au tréfonds, le noyau des royalistes « durs », ceux qui, dès 1789, sentaient que l'affaire serait chaude et qui ne se faisaient aucune illusion sur la solidité de leurs champions officiels ni sur les chances qui leur étaient, pour de longs mois, réservées. On ignore presque tout de ce parti, et il manque, aujourd'hui encore, une sérieuse étude sur lui, mais on le devine et les chefs révolutionnaires avec leurs militants le flairaient, le sentaient attentif, prêt à agir. C'est la fameuse conspiration qui les irrite et les inquiète parce qu'ils savent qu'elle ne fera pas plus de quartier qu'eux-mêmes, et parce qu'ils imaginent aisément ses multiples liens avec les silencieux, les terrorisés, les opposants inévitablement nombreux dans un pays passé trop vite de l'État monarchique et catholique à l'État républicain et anticlérical. La grande complicité dont avaient bénéficié les révolutionnaires dans les premières années de la Révolution est en train, d'une certaine manière, de se retourner contre eux, au profit de leurs ennemis. Pour l'heure, il faut d'abord conquérir la Convention, source provisoire de tout pouvoir, de toute action efficace. Ce n'est pas simple, car les Girondins n'ont point renoncé à l'occuper en maîtres. Et même ils montent les premiers à l'assaut. Mais les Brissotins, comme leurs prédécesseurs modérés, ne disposent d'aucune force réelle à Paris, s'imaginent que leurs discours constituent autant d'actes et ils se contentent, ou à peu près, d'entasser réquisitoires sur plaidoiries. En outre, mal conseillés par une femme imaginative et nerveuse, Madame Roland, qui prend ses humeurs pour règle de politique, ils ne concentrent point leurs efforts contre l'un des chefs de la Montagne et s'éparpillent en accusations dirigées tantôt contre Danton, tantôt contre Marat, tantôt contre Robespierre lui-même, sans jamais les pousser à fond. Ces trois hommes ne s'entendaient pas et il eût été probablement facile de les opposer l'un à l'autre, mais contre

Barbaroux (?)

un assaut désordonné, ils formèrent un front commun et s'étayèrent mutuellement. L'attaque la plus virulente fut cependant dirigée contre Maximilien. Elle débuta le 25 septembre 1792, par une dénonciation de Rebecqui devant la Convention. Rebecqui était un intime de Barbaroux, le bouillant député de Marseille, le Saint-Just de la Gironde, familier du salon Roland où se réunissaient parfois les leaders de la faction brissotine, Vergniaud excepté qui n'aimait pas les

Roland. *Le chef du parti qui aspire à la dictature, je le dénonce nommément : c'est Robespierre.* L'Incorruptible répondit dédaigneusement : *Ce serait à moi d'accuser.* Simple escarmouche mais qui alerta Maximilien, lequel vint chercher, le 28 octobre, l'appui des Jacobins : *Ils* (les Girondins) *sont les gens comme il faut de la révolution. Nous sommes les sans-culottes et la canaille.* On l'acclame et on l'assure du soutien de la Société. Il était temps : le 29, un des ténors brissotins, Louvet, prononce contre lui un réquisitoire demeuré célèbre dont toutes les phrases commençaient par : « Je t'accuse, Robespierre... » Louvet lui reproche, véhémentement et pêle-mêle, d'avoir calomnié les vrais patriotes, organisé les massacres de septembre, *méconnu, avili et persécuté les représentants de la nation,* truqué les élections à la Convention, de s'être présenté partout comme « un objet d'idolâtrie » et finalement d'aspirer à la dictature. L'Assemblée, remuée par l'éloquence de Louvet, se montre défavorable à Robespierre et celui-ci, avec beaucoup d'adresse, demande et obtient un délai d'une semaine pour répondre. En attendant, il continue à travailler les Jacobins, principale force révolutionnaire de la capitale. Il y reçoit l'appui de ses partisans : Deschamps, un familier de Duplay, Laplanche, mais aussi Legendre, un des hommes de Danton, Chabot, l'un des plus extrêmes parmi les Jacobins. Augustin Robespierre, avec un inlassable dévouement fraternel, orchestre les démonstrations de sympathie. Le dénouement intervient le 5 novembre, à la Convention encore. Devant une assistance nombreuse, sous les yeux de tribunes où l'on s'écrase, où les femmes constituent l'élément majeur du public (les femmes sont fascinées par l'élégance hautaine de Maximilien), où enfin, assure méchamment Gorsas, l'on voit *non le peuple de Paris mais le peuple de Robespierre,* l'Incorruptible riposte à Louvet. Son discours est suprêmement habile : il se fait lui-même humble, modeste, mais confond absolument sa cause avec celle du peuple insurgé. Ce peuple a recouru à la révolte justement et l'on ne peut assurer le salut public *avec le code criminel à la main.* La Révolution se moque de la légalité ou plutôt elle est, en soi, la légalité, la seule qui se puisse admettre : *Voulez-vous une révolution sans révolution ?* Et suspects apparaissent ceux qui *gémissent presque exclusivement pour les ennemis de la liberté.* Quant à lui, Robespierre, il pourrait désirer légitimement tirer vengeance des calomniateurs, mais il ne demande rien d'autre que *le retour de la paix et le triomphe de la liberté.* L'effet de cette plaidoirie apparaît tel sur la Convention que certains chefs de la Gironde, sentant l'affaire mal engagée, conseillent d'abandonner l'accusation. Brissot, qui donne depuis quelques jours des signes de lassitude, Vergniaud, Gensonné lâchent Louvet et l'Assemblée passe à l'ordre du jour. Le triomphe de Maximilien éclate, le soir même, aux Jacobins, où l'on organise en son honneur une sorte de fête de nuit avec lampions et chants choraux. Après Danton, auquel la Convention a donné quitus pour sa gestion d'août, après Marat, un moment décrété d'accusation, et triomphalement acquitté, voilà donc le troisième homme de la Montagne, voilà Robespierre qui échappe à l'étreinte de l'adversaire. Et le désastre de la Gironde se mesure au résultat des élections municipales pour le remplacement de la Commune insurrectionnelle : les hommes de Danton et surtout de Marat, de Robespierre lui-même occupent, légalement cette fois, les pouvoirs à Paris. La Gironde est, à terme, perdue.

Robespierre le comprend parfaitement et passe presque aussitôt à la contre-attaque. Après une courte maladie, qui le tient écarté de la vie publique pendant la deuxième moitié de novembre, il prononça, le 30 novembre, devant la Convention, un discours dans lequel il posait avec netteté le problème du destin qu'il fallait réserver à Louis XVI. *Tant que la Convention différera sa décision de cet important procès, elle ranimera les factions et soutiendra les espérances des partisans de la royauté.* On peut s'étonner, à première vue, que le procès du roi fût le meilleur parti à saisir pour, du même coup, se débarrasser des Girondins, puisque ceux-ci, malgré quelques défaillances en août 1792, s'étaient en somme, les premiers et bien avant Robespierre, déclarés républicains. Mais depuis l'été, deux faits importants avaient modifié la situation respective des factions. Le premier, tout matériel, était la

Le secret de l'armoire de fer

découverte, survenant bien à propos d'ailleurs, de la fameuse
armoire de fer du Louvre, qui contenait une correspondance
de Louis XVI avec certains de ses conseillers secrets, Mirabeau
notamment : de toute manière, cette découverte serait exploi-
tée et la Montagne, en prenant les devants, s'assurait une

87

position en flèche aux yeux des révolutionnaires indignés et plaçait la Gironde en retrait, en position suspecte. D'autre part, l'évolution de la guerre changeait l'optique des partis : les Girondins, ardents hier à provoquer le conflit, à le pousser, se découvrent maintenant beaucoup moins chauds pour le mener à son terme. La guerre invite en effet la France à un effort continu, donc à un resserrement des pouvoirs ; elle exige une autorité centrale forte et probablement, à terme, une dictature : rien ne pouvait plus déplaire à d'impénitents libéraux, plus les inquiéter. Or, la mort du roi lancerait un défi à l'Europe monarchique et ne pourrait que rendre plus difficile le combat de la Révolution, donc accentuer l'évolution du régime vers l'autorité. Tout naturellement, la Gironde bronchait devant de pareilles conséquences et ne tenait nullement à voir le roi traduit devant la Convention transformée en Haute Cour politique. Elle se trouvait alors en position d'infériorité manifeste aux yeux des révolutionnaires « conséquents ». Pour des raisons semblables, mais inverses, les Montagnards tenaient le bon bout et Robespierre n'entendait point le lâcher. Il voulait même aller plus loin. A ses yeux, la Convention n'était pas un tribunal, Louis XVI, pas un accusé : la nation, par l'insurrection du 10 août, avait déjà prononcé. Il suffisait de tuer le roi : *Le procès du tyran, c'est l'insurrection... sa peine, celle qu'exige la liberté du peuple.* Et encore : *Louis doit mourir parce qu'il faut que la Patrie vive.* On ne le suivit cependant pas jusque-là et la Convention décida de s'ériger en tribunal. Les Brissotins lancèrent alors l'idée d'un appel au peuple, qui serait invité à se prononcer dans ses assemblées électorales primaires. Vergniaud, Gensonné appuyèrent de toutes leurs forces cette solution ingénieuse et en profitèrent pour attaquer vigoureusement Maximilien : *L'amour de la liberté a aussi... ses cafards et ses cagots.* En vain ! Combattu par toute l'extrême-gauche qui redoutait de voir la foule, peut-être encore royaliste, acquitter Louis XVI, combattu

par Robespierre lui-même dans son journal qui ne s'appelait plus - et pour cause ! - *le Défenseur de la Constitution*, l'appel au peuple fut rejeté le 15 janvier 1793 par un vote de la Convention. Le lendemain, 16 janvier, à une voix de majorité après rectification, la peine de mort était prononcée, et le roi fut exécuté le 21.

Les choses suivirent alors un cours logique. A la Prusse, à l'Autriche, se joignirent, contre la France régicide, l'Espagne, les princes italiens et même la Russie. Et encore l'Angleterre, non point, elle, par sentiment d'amitié pour un souverain qui l'avait naguère vaincue et humiliée, mais parce que la Révolution triomphante occupait la Belgique et ne la voulait point lâcher. Au-dehors, la guerre, comme prévu, devint plus difficile. Il fallut alors lever de nouvelles recrues et, contrainte de faire tuer ses enfants pour un régime qu'elle abhorrait, la Vendée préféra se soulever. Péril au-dehors, péril au-dedans. Il se précise bientôt : Dumouriez, le vainqueur de Valmy et de Jemmapes, se fait battre à Neerwinden le 18 mars. Devant cette situation d'autant plus angoissante que le général ne cache pas ses intentions de se servir de son armée plus contre la Convention et les clubs atteints de folie démocratique que contre l'étranger, l'Assemblée désigne un

Comité de défense générale où entrent des représentants de tous les partis avec, en tête, Robespierre. Est-ce l'union nationale ? Que non point ! On se suspecte plus qu'on ne s'entraide et Maximilien exige la démission de Dumouriez que défendent Brissot et même, plus prudemment, Danton. Le général, renouvelant alors le geste de La Fayette au mois d'août, tente d'entraîner ses hommes contre Paris, échoue, et se trouvant en danger d'être rappelé, destitué et exécuté, émigre. Cette désertion compliquée de trahison le condamne certes, mais assassine la Gironde.

Commence en effet pour celle-ci une longue agonie que Robespierre s'efforce – mais non point par charité – d'abréger. Il démissionne du Comité de défense générale *(Je ne veux plus être d'un comité qui ressemble plutôt à un conseil de Dumouriez qu'à un Comité de la Convention nationale)* et attaque furieusement Brissot le 3 avril, en demandant qu'il soit décrété d'accusation. Le 10 avril, il reprend son réquisitoire, et son discours fait en quelque sorte pendant à celui de Louvet prononcé contre lui à la fin d'octobre. C'est Maximilien cette fois qui dénonce pêle-mêle les crimes de la Gironde : royalisme, modérantisme, trahison pure et simple de la Révolution et de la France, entreprises de division à

l'égard de la Convention, complicité avec Dumouriez. Sous l'avalanche, Brissot cesse de lutter : il ressemble à ces proies que certains insectes paralysent avant de les dévorer. Par contre, Vergniaud, Pétion, Guadet se battent avec l'énergie du désespoir, mais sans aucune chance de résistance utile. Ils présentent en effet les mêmes faiblesses qu'une année et demie plus tôt les Duport, les Lameth, les Barnave : ils ne possèdent aucune influence sur les milices révolutionnaires des sections de Paris et, en province, ils s'appuient sur une bourgeoisie aisée peu nombreuse qui, nantie par l'achat des biens nationaux, n'entend rien risquer ni de sa vie ni de sa fortune dans des entreprises chanceuses. Il ne reste aux Girondins, en face des véritables forces qui commandent les révolutions, que leur éloquence, leur courage, leur talent, pauvres armes dans les temps troublés. On s'est efforcé de faire croire qu'ils défendaient alors leurs propres intérêts matériels, on a évalué la fortune d'Isnard, de Kervégan qui était effectivement considérable [15]. Mais ni Guadet, fils de boulanger, ni Barbaroux, trop jeune pour avoir amassé des richesses bien nombreuses, ni Vergniaud, insouciant avocat bordelais, ni même Brissot, journaliste assez besogneux, ne semblent avoir roulé sur l'or. Et on abaisse vraiment le débat en le plaçant sur le plan des seuls intérêts personnels. En fait les Girondins se battaient pour le triomphe d'une idéologie empruntant beaucoup au libéralisme qui constituait alors un non-sens politique. Car ce qui les a tués, bien plus que Robespierre, la Montagne et même les sans-culottes de Paris, c'est la situation même de la Révolution et de la France avec son cortège de violences, de troubles, de misère, de guerre. Il fallait une poigne vigoureuse pour surmonter les difficultés qui s'accumulaient tragiquement. Le hasard compte pour rien dans l'organisation, le 21 mars 1793, des Comités de surveillance chargés de prévenir les mouvements contre-révolutionnaires, dans la mise en service, le 27, du Tribunal révolutionnaire, dans la création, le 5 avril, du Comité de salut public, dans le décret, le 11 avril, du cours forcé des assignats, dans la décision, le 5 mai, que prend la Convention de déférer au vœu des artisans parisiens ruinés qui réclament un maximum, c'est-à-dire une étroite réglementation des salaires et des prix. Toutes ces mesures correspondent à l'établissement d'une dictature que la situation exigeait sous peine de s'abandonner à l'invasion et à l'anarchie. Paraphrasant un mot de Robespierre prononcé en d'autres circonstances, on peut dire que les Girondins, apôtres d'une liberté théorique et hors de saison, devaient disparaître pour que la patrie vive.

Ils continuaient d'ailleurs à se montrer d'une surprenante maladresse. Une fois encore, alors qu'ils auraient pu spéculer sur les divisions des chefs montagnards, ils éparpillaient leur effort. Ils faisaient arrêter Marat le 13 avril et le Tribunal révolutionnaire, déjà aux mains de la Montagne, acquittait Marat. Danton aurait sans doute usé de sa grande influence sur les sans-culottes de la capitale pour concilier les partis : les Brissotins le rejetèrent du côté de l'extrême-gauche en l'accusant de complicité avec Dumouriez et en suggérant qu'il était un agent de Philippe d'Orléans, ce qui avait été vrai et ce qui ne l'était plus guère. Ils harcelèrent Robespierre sans oser l'attaquer de front, et Maximilien mena alors contre eux une lutte où il apporta sa froide, son implacable lucidité. Lui-même comprenait parfaitement que la clef de la victoire résidait dans une alliance au moins provisoire avec les plus extrémistes, les « enragés » comme on commençait à les appeler, qui tenaient les sections parisiennes les plus assidues au combat et les plus agissantes. A la fin d'avril, il prononce un discours qui a bien dû lui coûter, à lui, le disciple de Rousseau, le bourgeois de province attaché par tradition comme par principe à la propriété privée, à l'intangibilité des contrats : il y définit cette propriété comme *la partie des biens garantie par la loi* qui ne peut *préjudicier ni à la sûreté, ni à la liberté, ni à l'existence, ni à la propriété de nos semblables*. Il réclame en même temps l'arrestation des suspects et ajoute une pointe de démagogie bien faite pour plaire aux sans-culottes : que l'on paie une indemnité aux sectionnaires, indemnité qui sera couverte par les dons des riches, des « culottes dorées ». Il prend aussi la défense de Marat qui pourtant l'agace et parfois l'inquiète,

Un Girondin blessé transporté à la guillotine ▶

parce que Marat, à lui seul, constitue une force révolutionnaire dont on ne doit pas, dans les circonstances, négliger le poids. Il veut également oublier les attaches d'Hanriot, un des plus redoutables meneurs de tape-dur, avec les sans-dieu qu'il déteste, et aide à sa nomination comme chef de la Garde nationale, nécessaire à l'opération qui se prépare contre la Gironde. Il lutte, au début de mai, pour la libération d'Hébert, de Varlet, de Dobsen que les Brissotins ont fait emprisonner et qui lui répugnent par leurs excès, parce que ceux-là aussi exercent une influence certaine sur les « sectionnaires ». Enfin c'est Robespierre qui, le 26 mai, déclenche l'insurrection par un discours incendiaire qui rappelle ceux du début de septembre 1792 : *C'est quand toutes les lois sont violées, c'est quand le despotisme est à son comble, c'est quand on foule aux pieds la bonne foi et la pudeur que le peuple doit s'insurger. Ce moment est arrivé.*

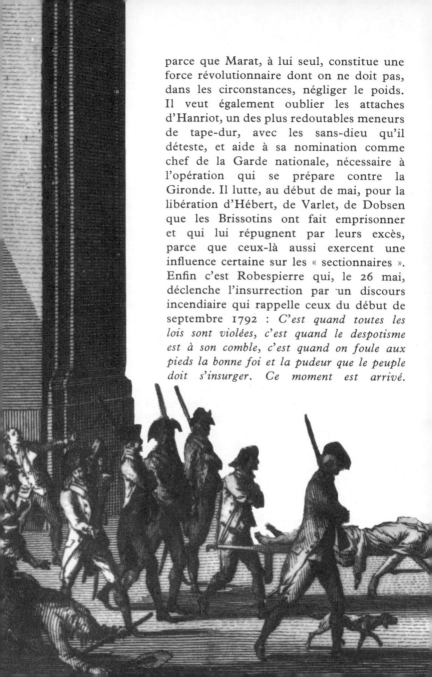

A la Convention même, le 31 mai, il enfonce le couteau au cœur de la Gironde. Comme Vergniaud l'interrompait dans une violente diatribe dirigée contre la faction brissotine, il répond avec une force que l'on ne soupçonnerait pas chez un homme dont le talent semblait surtout fait de raison froide et de calcul prudent : *Oui, je vais conclure et contre vous ! Contre vous qui, après la révolution du 10 août, avez voulu conduire à l'échafaud ceux qui l'ont faite, contre vous qui n'avez cessé de provoquer la destruction de Paris*[16], *contre vous qui avez voulu sauver le tyran, contre vous qui avez conspiré avec Dumouriez, contre vous qui avez poursuivi avec acharnement les mêmes patriotes dont Dumouriez demandait la tête. Ma conclusion, c'est le décret d'accusation contre tous les complices de Dumouriez et contre tous ceux qui ont été désignés par les pétitionnaires.* Le 2 juin, 29 Girondins sont effectivement décrétés d'arrestation, sous la pression de l'émeute

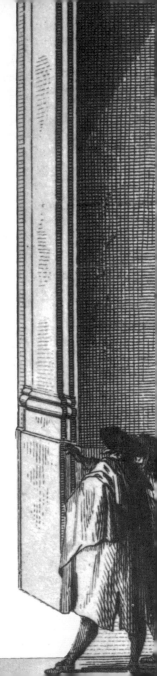

que Robespierre a conseillée et déclenchée. Albert Mathiez a magistralement expliqué les raisons et du discrédit et de la chute de la Gironde. On ne peut mieux faire que citer ce passage magnifique de son histoire de la Révolution : *Les Girondins furent vaincus parce qu'ayant déchaîné la guerre étrangère, ils ne surent pas procurer la victoire et la paix ; parce qu'ayant les premiers dénoncé le roi et réclamé la république, ils ne surent pas se résoudre à renverser l'un et à proclamer l'autre ; parce qu'ils hésitèrent à tous les moments décisifs, à la veille du 10 août, à la veille du 21 janvier, parce qu'ils donnèrent l'impression, par leur politique équivoque, qu'ils nourrissaient des arrière-pensées égoïstes, arrière-pensées de maroquins ministériels, arrière-pensées de régence, de changement de dynastie, parce qu'au milieu de la terrible crise économique qui sévissait, il ne surent proposer aucun remède et s'élevèrent avec étroitesse et amertume contre toutes les revendications de la classe des sans-culottes dont ils méconnurent la force et les droits... parce qu'en un mot ils négligèrent le salut public et parce qu'ils s'enfermèrent dans une politique de classe au service de la seule bourgeoisie.* Nous est-il permis d'ajouter que les Brissotins succombèrent aussi parce qu'ils avaient cru qu'une révolution peut demeurer « modérée » et qu'ils n'avaient point compris qu'une société déséquilibrée doit aller aux extrémités de la violence, du désordre et de l'injustice avant de retrouver sa stabilité ? Nous est-il permis, enfin, d'adresser un salut attristé à des hommes qui avaient peut-être mérité de tomber, mais non point d'être déshonorés et de finir traqués comme des bandits, d'être dévorés par les loups dans la campagne de Saint-Émilion ou guillotinés après avoir, comme Barbaroux, agonisé pendant des heures, la mâchoire broyée par un coup de pistolet sans qu'un homme ou une femme osât, par peur, lâcheté ou contrainte, lui donner le verre d'eau que l'on ne refuse point aux canailles... De ces proscriptions horribles, Robespierre était pour une large part responsable. Aucune considération politique, aucune faute des Girondins contre les droits des sans-culottes ne peut excuser cette cruauté. Quoi qu'il en soit, le voici, lui, Maximilien, porté par les circonstances mais aussi par son talent, son ambition et l'identification qu'il a établie et que tous les révolutionnaires extrêmes reconnaissent alors entre sa personne et la Révolution elle-même, au seuil du pouvoir suprême.

A l'heure où il devient le premier dans la Révolution et le premier en France, on peut estimer utile de peindre en quelques touches son existence quotidienne. Après quoi il n'en sera plus question car, en vérité, sa vie est sans histoire, hors les Jacobins, l'Assemblée et bientôt le Comité de salut public.

On sait déjà que, depuis le 17 juillet 1791, et la sanglante émeute du Champ de Mars, Maximilien s'est installé rue Saint-Honoré, chez le menuisier Duplay, qui lui a offert l'hospitalité. Il se trouve ainsi proche le couvent désaffecté des Jacobins où le club a élu domicile et proche la salle du Manège où siège la Convention. Il habite une petite chambre tapissée de bleu, donnant sur la cour de l'immeuble, au-dessus d'un hangar dans lequel travaillent les ouvriers de Duplay. Il jouit du calme, de la paix indispensables aux travaux de l'esprit.

Mme Duplay

M. Duplay

Eléonore Duplay

Duplay lui-même est un brave homme d'une soixantaine d'années, venu vers 1765 de son Gévaudan natal. Il a épousé une fille sage de Créteil, près de Charenton, un peu plus âgée que lui. Elle, une bonne ménagère, et lui, un solide artisan qui a amassé, par un travail honnête, un joli magot. Il vit bourgeoisement : ses compagnons ne mangent point à sa table et il possède dans Paris plusieurs immeubles. Les Duplay ont quatre filles et un garçon auxquels s'ajoutent deux enfants adoptifs, des neveux orphelins. Le garçon entre en 1790 au collège d'Harcourt. Une des filles, Sophie, est mariée avec un avocat d'Issoire. Les trois autres sont demoiselles, mais l'aînée, Élisabeth, est « fréquentée », comme on disait autrefois en France, par un jeune Conventionnel, Lebas, un des admirateurs les plus fervents de Robespierre. Lebas épousera Élisabeth et mourra peu après du coup de pistolet qu'il se tira dans la bouche pour ne pas survivre à son grand homme.

Maximilien s'épanouit au sein de cette famille simple, aimable et éperdue d'admiration pour lui. Il mange souvent à la table commune, participe aux excursions en banlieue où l'on va visiter parents et amis ; on filtre, pour lui éviter tout importun, les visites. Le plaisir de l'Incorruptible est, le soir, à la veillée, lorsqu'il ne doit pas se rendre au club, au Comité ou à l'Assemblée, de lire ou se faire lire les classiques. Il écoute volontiers la musique que joue sur le piano un fidèle, Buonarroti. Cette vie semble douce, un peu fade, sans excessive austérité. Parfois, Maximilien part seul faire, à pied, de longues promenades sur les quais de la Seine ou se fait conduire en voiture au Bois pour y parcourir les sentiers agrestes. Parfois aussi on reçoit des amis politiques. On voit moins souvent, à mesure que passent le temps et les jours, Camille Desmoulins tout absorbé par ses amours avec Lucile Duplessis et son intimité avec Danton. Maximilien, néanmoins, lui servira de témoin pour son mariage. Saint-Just, le jeune et ardent député de l'Aisne, membre du Comité de salut public, vient souvent. On admire sa beauté et son éloquence, sa gravité aussi : « Il portait, dit méchamment Baudot, sa tête comme le Saint-Sacrement. » On sait qu'il suivra Robespierre jusque sur l'échafaud et le précédera de quelques minutes dans la mort.

Quant à l'Incorruptible, s'il a connu quelque douceur dans la vie, c'est auprès des Duplay et particulièrement d'Éléonore, la timide Éléonore, pour laquelle il semble avoir nourri une affection platonique et sincère. Danton, avec sa grossièreté habituelle, s'amusait de ces chastes amours et appelait Éléonore Cornélie Copeau, Cornélie à cause de la vertu de la demoiselle, et Copeau à cause du métier de son père. Cette imbécile plaisanterie sera reprise par les thermidoriens plus qu'il n'est convenable. La fiancée survivra tristement à la mort de son héros. La mère Duplay se tuera de désespoir. Au moins, elle et les siens auront assuré à Robespierre l'indispensable tranquillité de l'âme et de l'esprit dont les hommes d'action éprouvent la nécessité quand ils abandonnent pour quelques instants le théâtre de leur vie publique.

Bataille de Fleurus gagnée par l

Commandée par les Généraux Jourdan Le Fevre et

e Française, le 8 Messidor de l'An ?

l'Armée Impériale Commandée par Cobourg, et Beaulieu.

LA VERTU OU LA MORT

Le 20 prairial an II de la République – 8 juin 1794 – tombait un dimanche et aussi un décadi [17], c'est-à-dire le dimanche civique, celui institué par le calendrier de Fabre d'Églantine. Les Parisiens, ce jour-là, se levèrent très tôt, les uns par curiosité, les autres par devoir patriotique. Ceux-ci, les militants jacobins, se réunirent dès 5 heures du matin en des lieux désignés à l'avance. Ils y retrouvèrent les professeurs du Conservatoire qui, depuis trois jours, leur enseignaient l'hymne à la mode du musicien Méhul : *Père de l'Univers, suprême intelligence...* Ils le répétèrent encore une fois. A huit heures au siège des sections, on se forma en cortège. Les femmes étaient vêtues de tuniques blanches, les hommes portaient la carmagnole et le bonnet phrygien, celui des esclaves affranchis. Les uns et les autres tenaient sur leurs bras des branches couvertes de feuilles vertes. Les enfants, eux, en tête de la procession, jetaient des fleurs au passage des sectionnaires. Toutes les colonnes convergèrent vers le pavillon central des Tuileries où un amphithéâtre de verdure avait été dressé et orné de statues, de vases, de rameaux fleuris et de drapeaux. Devant l'amphithéâtre se dressait une statue de femme représentant l'athéisme. Le peuple

103

...obespierre (gravure du temps)

prit place. A dix heures, une salve d'artillerie annonça l'arrivée des Conventionnels vêtus de bleu barbeau, ceinturés de tricolore, empanachés de plumes et portant sabre au côté. Chaque député tenait à la main un bouquet. En tête marchait le président en exercice de l'Assemblée, Robespierre, qui était le seul à avoir revêtu un frac bleu clair et le seul à tenir non point un mais deux bouquets énormes. Les députés prirent les places qui leur étaient réservées et Maximilien s'installa dans un fauteuil, en avant des représentants. Lorsque chacun se fut installé, il se leva, fit face à l'assistance et prononça une sorte de sermon que lui avait préparé un vieux curé [18]. Lorsqu'il se tut, les artistes de l'Opéra, accompagnés et soutenus par les chœurs populaires, chantèrent l'hymne de Méhul. Puis Robespierre quitta son fauteuil et, escorté de sept ou huit députés (ses licteurs, chuchotèrent de mauvaises langues), il s'avança vers la statue de l'athéisme, une torche à la main. Il y mit le feu. La statue se consuma rapidement car elle était faite d'étoupe et, des flammes, surgit l'effigie de la sagesse, qui était théoriquement incombustible. En fait l'incendie l'avait un peu abîmée et l'effet produit ne fut pas exactement celui que l'on attendait. Simple et minime incident... On repartit alors en cortège vers le Champ de Mars cette fois : la marche était scandée par trois musiques militaires – cent tambours ! En tête venaient les sectionnaires suivis par les cliques, puis un char de la Liberté traîné par huit bœufs, puis Robespierre tout seul, et enfin la masse des députés que les huissiers de l'Assemblée s'efforçaient de faire marcher au pas sans bien y parvenir [19]. Sur le Champ de Mars s'élevait une Montagne symbolique avec grotte, colonnade, sentiers agrestes, tombeaux étrusques, pyramide

égyptienne, temple grec et autel. La procession fit le tour de la Montagne. Députés et chœurs escaladèrent les pentes. On reprit l'hymne de Méhul. Quand on eut terminé, de nouvelles salves d'artillerie éclatèrent et les enfants jetèrent ce qui leur restait de fleurs à la foule où l'on se donnait le baiser de paix. *Après quoi*, écrit un témoin, *nous abandonnâmes la fête et nous allâmes nous rafraîchir en ville chez un cafetier* [20]. Il est à présumer que lui et ses amis ne furent pas les seuls.

On peut facilement, à raconter cette journée, tourner le récit en description soit d'une ridicule mascarade, soit d'une touchante cérémonie civique. Et il semble probable que, parmi les contemporains, l'accord ne régna ni sur l'intérêt qu'elle présentait ni sur les sentiments qu'elle pouvait inspirer. Il nous faut surtout aujourd'hui en apercevoir l'intérêt politique et le sens historique. La fête de prairial marque le point culminant de la carrière de Robespierre et donne sa signification à l'action qu'il mène depuis bientôt une année. Point culminant, car il a, croit-il, éliminé ses principaux adversaires : Danton et les Indulgents, Hébert et les Exagérés. Président de la Convention, maître redouté de la majorité, chef reconnu du Comité de salut public, inspirateur du Tribunal révolutionnaire, idole des Jacobins, Maximilien apparaît comme un Bonaparte avant la lettre. Il reçoit chaque jour des flots de lettres d'adulation : *Admirable Robespierre, flambeau de la République... Protecteur des patriotes, génie incorruptible... Tu es ma divinité suprême. Je te regarde comme mon ange tutélaire.* La veuve d'un soldat tombé en Vendée lui propose mariage et veut lui dévouer sa vie ; elle n'est pas la seule... Ces vagues d'idolâtrie en rappellent d'autres plus récentes. Et l'étranger au moins ne se trompe point sur leur signification. On y parle couramment de l'« armée de Robespierre », de la « flotte de Robespierre ». Ce n'est pas encore une nouvelle monarchie légitime. C'est déjà une dictature. Et c'est une dictature qui emprunte son principe à la « vertu » selon Jean-Jacques Rousseau, c'est-à-dire à un sentiment diffus mais sincère de religiosité (c'est pourquoi peut-être les femmes sont souvent les plus ardentes à soutenir Maximilien). Robespierre n'est point, comme le croyait Michelet, un clérical qui se dissimule sous les allures d'un révolutionnaire farouche. Ou plutôt la Révolution lui semble inséparable de la croyance profonde dans l'Être Suprême, dans l'immortalité de l'âme, dans la nécessité de surmonter partout et toujours les instincts matériels de jouissance, d'avidité, d'attachement à l'argent. Elle est inséparable du sacrifice que doit l'homme à la société, à la race humaine, à la divinité qui l'habite. La vertu est le principe ; son triomphe est l'objet du gouvernement des hommes ; son imitation doit devenir la règle des gouvernants qui constituent autant de modèles pour les peuples. On a bien tort de croire que Robespierre soit un vaniteux que l'encens de la fête de prairial grise, enivre. Assurément il croit à son génie et à sa mission, mais son idéal le dépasse, et il sent profondément l'écart qui demeure entre la société dont il médite l'avènement et la réalité du présent. D'où cette amertume, cette insatisfaction, cette tristesse poignante qui parfois s'exhale de ses discours. Par son élévation même, par l'ampleur de ses desseins, de la tâche qu'il se propose d'accomplir et par l'incompréhension qu'il devine autour de lui, Robespierre est un homme seul. Il le sait. Et un homme faible. Il le sait aussi.

Car cette apothéose de prairial marque encore le commencement de la fin et il le redoute. Le plan est trop vaste, les hommes trop petits. Il voit les obstacles se multiplier ; il va bientôt s'écraser contre eux. Les pires détracteurs de Maximilien ne peuvent demeurer, un siècle et demi plus tard, indifférents et hostiles devant cette tragédie, plus commune qu'on ne l'imagine chez les conducteurs de peuples. Car un homme ne peut, à lui seul, assumer le destin du monde ni même celui d'une nation. Et l'on ne s'élève d'ordinaire si haut que pour tomber bas et vite avec, dans la bouche, le goût amer d'avoir tenté l'impossible et de s'être brisé contre la nature des choses et des hommes.

La chute de la Gironde, accueillie avec des transports de joie par les sans-culottes de Paris, consterna la Convention. La mutilation qu'elle venait de subir, la livre de chair que la

La dernière heure des Girondins

Révolution lui avait retirée lui inspiraient les plus noires
inquiétudes : son destin propre ne serait-il pas semblable
à celui que connut la déplorable Législative ? N'était-elle
point vouée à une disparition sans gloire sous la poussée de
l'émeute ? Seul ou presque, contre la quasi-totalité de ses
collègues, Robespierre croit que l'amputation des membres
brissotins de la Convention était tout ensemble inévitable
et nécessaire ; il croit aussi que les vrais représentants patriotes
doivent demeurer en contact avec les sectionnaires qui ont
épuré l'Assemblée. Il écrit dans son carnet intime : *Il faut que
l'insurrection actuelle continue jusqu'à ce que les mesures néces-
saires pour sauver la Révolution aient été prises... Il faut que
l'insurrection s'étende de proche en proche sur le même plan, que
les sans-culottes soient payés et restent dans les villes. Il faut*

leur procurer des armes, les colérer, les éclairer. Il faut exalter l'enthousiasme républicain par tous les moyens possibles. C'est en somme la théorie de la révolution permanente, qui peut alors sembler la plus chimérique et la plus réaliste tout ensemble. La plus chimérique, parce qu'elle se heurte à l'inquiétude de la Convention, de cette Convention qui est théoriquement la source de tous les pouvoirs, parce qu'elle se heurte aussi à la colère des modérés qui tiennent les provinces et menacent de les soulever, parce qu'elle nie enfin le fonctionnement normal des institutions. Mais la plus réaliste, parce que Robespierre a compris, seul ou à peu près, que la Montagne domine désormais la Convention de toute la puissance que lui confère la peur de la majorité, que cette Montagne peut donc diriger la Révolution pourvu qu'elle ne perde ni le contact ni l'assentiment des activistes parisiens. Peu à peu, d'autres Montagnards le comprirent aussi et, le 27 juillet 1793, Billaud-Varenne et Collot d'Herbois firent voter un décret contre l'accaparement qui donnait quelque satisfaction aux affamés de la capitale et des grandes villes. Robespierre lui-même, la veille, a défendu Bouchotte, le ministre de la Guerre, dont les liaisons avec les extrémistes sont notoires et qu'attaquent les modérés ; il entretient ainsi l'amitié et la confiance des sectionnaires parisiens. Mais surtout il pousse, dès juin, le Comité de salut public à se renouveler et à se rénover ; peu à peu s'effacent la personne et l'influence de Danton, qui en fut le premier maître. Simultanément les hommes de Maximilien s'installent aux postes de commande, notamment Couthon, représentant du Puy-de-Dôme, et le jeune Saint-Just, représentant de l'Aisne, l'un et l'autre déjà célèbres pour leur ferveur révolutionnaire et leur attachement à Robespierre. Le premier d'ailleurs, tirant la conclusion logique de l'évolution des partis, propose, le 27 juillet encore, l'élection de Maximilien au Comité. Il ne paraît point que l'Incorruptible l'ait désirée et il a lui-même affirmé, un peu plus tard, qu'il regrettait son élévation. Il eût sans doute préféré demeurer l'un des épigones du régime, le Grand Censeur de la Révolution. Mais en vérité le moment était venu pour lui d'assumer la responsabilité du pouvoir, de con-

Saint-Just (tableau de Greuze)

duire la Révolution, à l'heure où ses constantes interventions dans la politique des autres avaient permis de faire front aux plus redoutables dangers. Il fut nommé.

La France éprouvait le besoin d'une tête capable, sinon de prévoir - quel homme pouvait alors s'en flatter ? - du moins de pourvoir. Car jamais la situation n'avait présenté autant de difficultés : partout, dans les départements, l'insurrection girondine tournait au profit des royalistes, partout aux frontières l'invasion faisait craquer les défenses naturelles du pays ; partout, dans les villes, la faim et la misère introduisaient la violence et la peur. Devant cette pressante menace, deux attitudes semblaient au premier abord possibles : ou bien détendre les ressorts de la Révolution, de la lutte révolutionnaire pour rallier les modérés, ou bien pactiser avec les extrémistes et imposer l'implacable tyrannie de l'égalité. D'un côté la tentation de l'union, de l'autre celle du salut public. Mais c'était aussi risquer ou bien de se trouver rapidement submergé par la marée des haines contre la Révolution, les mécontentements qu'elle avait soulevés, ou bien de plonger la France dans un bain de sang et d'anarchie. Maximilien montra alors les réflexes les plus sains d'un homme d'État véritable. Il comprit qu'il lui fallait absolument trouver un moyen terme entre la réaction et cette révolution permanente qu'hier encore il préconisait. Peut-être aussi, à tenir la queue de la poêle, la découvrait-il plus chaude que naguère, dans l'opposition. Il se mit avec courage au travail et si la Révolution se sauva alors, elle le doit au prestige que l'Incorruptible mit au service d'une politique où la raison n'excluait point la fermeté.

La première tâche était d'écraser la révolte intérieure qui menaçait la France de dislocation. 60 départements se trouvaient en état d'insurrection complète ou partielle, et, le 13 juillet, Marat était assassiné par Charlotte Corday. Cet attentat soulignait le degré de violence atteint par les passions. Jusque-là Robespierre, tout en gardant, on le sait, le plus étroit contact avec les vainqueurs du 2 juin, penchait vers la modération. Dans cet esprit, il avait fait voter par la Convention une Constitution particulièrement libérale, avec le des-

sein de rallier les classes moyennes et les possédants effrayés par la chute des Brissotins. Il avait dû, le 10 juin, aux Jacobins, polémiquer avec un extrémiste, Chabot, qui trouvait ce texte trop conciliant. Le 14, il disait encore, aux Jacobins : *Tout ce que le peuple pouvait exiger, c'était que la Convention marchât dans le sens de la Révolution. Elle y marche actuellement.* Le 28 juin, il avait pris à partie avec beaucoup de violence le chef reconnu de ceux que l'on nommait les Enragés, le prêtre défroqué Jacques Roux, *un homme couvert du manteau du patriotisme mais dont il est permis de suspecter au moins les intentions.* Au début de juillet enfin, son disciple et lieutenant Saint-Just rapportait devant la Convention des mesures contre les Girondins en s'efforçant de distinguer parmi eux les vrais ennemis de la Révolution montagnarde, les sots, les naïfs, les égarés qu'ils avaient entraînés à leur suite. Mais le meurtre de Marat achevait de dissiper les illusions : il fallait vaincre ou disparaître. Toutes mesures furent prises pour circonscrire les incendies allumés en Normandie, à Lyon, à Bordeaux, en Provence par les Brissotins. Le Comité robespierriste y fut aidé par les rebelles eux-mêmes. Il apparut en effet très vite que ceux-ci ou bien constituaient une minorité peu agissante, ou bien masquaient involontairement les véritables inspirateurs royalistes de l'opposition armée. Pour tous les patriotes attachés aux conquêtes de la Révolution, le doute n'était plus permis : la Vendée, les émigrés bénéficiaient seuls de l'insurrection fédéraliste. Dès la fin de l'été, celle-ci agonise. Quant à la rébellion royaliste, elle est tenue en respect à la fois par la Terreur qui épure tous les suspects (les espions grouillaient jusque dans les états-majors des troupes républicaines) et par l'action militaire. La Révolution désormais n'a plus à craindre sérieusement d'être étouffée du dedans.

Le danger aux frontières était plus difficile à éliminer, et Maximilien flotte, au début, sur les mesures à prendre. Autour de lui, on proposait la levée en masse. Il croyait le projet irréalisable. Il redoutait, s'appuyant sur les précédents fâcheux de septembre 1792 et de mars 1793, que l'on ne pût ni armer ni ravitailler la cohue qu'on lèverait. *Ce ne sont pas les hommes qui manquent*, disait-il, *mais bien les généraux et leur patriotisme.* Cependant, à la fin, devant l'enthousiasme provoqué par le grand élan qui portait la nation aux armes, il céda et, le 23 août, la Convention vota le décret rédigé par Barère et Carnot. Celui-ci était entré le 14 août au Comité de salut public et il sut, avec son ami, Prieur de la Côte-d'Or, un ingénieur, organiser la victoire.

Mais, pour que toutes ces mesures de défense intérieure et extérieure pussent porter leur plein effet, il fallait absolument que le gouvernement de la Montagne ne fût pas le jouet des agitations populaires inconsidérées, voire criminelles. Robespierre découvre alors la vertu gouvernementale de stabilité et la nécessité de l'ordre. Quatre jours après son entrée au Comité, l'orage éclate. Danton propose, le 1er août, que le Comité de salut public soit érigé en gouvernement provisoire afin de posséder plus d'autorité, plus de liberté aussi dans ses décisions : il veut en quelque sorte renforcer l'exécutif. L'idée n'était point sotte et Robespierre n'y semblait pas opposé en principe, mais il la jugeait prématurée et il combattit avec mesure. Les amis de Jacques Roux, les Vincent, les Leclerc, profitèrent de l'incident pour essayer de dissocier les Montagnards du gouvernement en attaquant furieusement Danton auquel ils reprochaient sa modération, ses attaches anciennes avec Dumouriez, sa mollesse dans les événements du printemps. Maximilien vola au secours de Danton, non point sans doute par sympathie pour lui mais parce qu'il voyait bien la manœuvre et craignait que, par-delà Danton, le Comité ne fût visé. Il se plaignit de ces *patriotes d'un jour* qui voulaient perdre les plus anciens amis du peuple. Élargissant le débat, il reprocha aux Enragés leurs attaques contre la Constitution et contre les commerçants. Comme les opposants en appelaient à l'ombre de Marat dont ils s'affirmaient les continuateurs, Robespierre fit comparaître le 8 août, à la barre de la Convention, la compagne du martyr, Simone Evrard, et celle-ci désavoua hautement les meneurs. L'Assemblée, impressionnée, vota des poursuites contre Jacques Roux et Leclerc, et, pendant quelques jours, les Enragés, inquiets, suspendirent leurs attaques à l'endroit de la Convention et du Comité de salut public. L'agitation cependant ne tarde pas à renaître. Tout lui est bon : la commémoration du 10 août, l'idée lancée dans le public d'une dissolution de la Convention et de nouvelles élections, les difficultés de ravitaillement que le Comité de salut public s'efforce cependant d'améliorer. Les Enragés dénoncent les « Endormeurs » et « M'sieur Robespierre ». L'annonce que Toulon a été livré par les royalistes aux Anglais déchaîne une nouvelle et grave crise. Billaud-Varenne et surtout Hébert, qui semblaient jusqu'alors hésiter, passent au clan des extrémistes. Ceux-ci noyautent les Jacobins eux-mêmes : le club accepte la proposition de se porter en masse à la Convention afin de réclamer un regain d'épuration dans l'armée et l'administration, la destitution des ci-devant, de nouvelles mesures de salut public. Cette fois, Danton et Robespierre lui-même redoutent d'être emportés s'ils ne se rallient aux exigences des sectionnaires. Le premier parle de

la nécessité d'une Troisième Révolution. Le second déclare légitime la vengeance du peuple : la loi ne peut la lui refuser. Mais l'un comme l'autre – et Maximilien plus que l'homme du 10 août – ne cèdent apparemment que pour mieux se reprendre. A la fin d'août, au début de septembre, l'Incorruptible dénonce le complot des Enragés pour affamer Paris. Peine perdue : le 5 septembre, la Convention est cernée par l'émeute et il faut bien consentir à organiser une armée révolutionnaire, à payer 40 sols par jour aux sectionnaires (piètre palliatif contre la vie chère) et surtout à mettre la Terreur à l'ordre du jour. Le 17 septembre, la loi des suspects est adoptée. Le 25, le Comité de salut public est mis en minorité à l'Assemblée. Avec difficulté, Maximilien et Barère, – le subtil Barère – réussissent à ressaisir la Convention, mais il faut donner encore des satisfactions aux extrémistes : la reine et 41 chefs girondins sont livrés au Tribunal révolutionnaire. Enfin, le 29 septembre, le maximum des salaires et des denrées est adopté. En un mois, la Révolution vient d'accomplir un bond énorme vers la dictature dirigiste et terroriste. La guerre, la rébellion et la misère en sont les principaux responsables. Bien loin d'en avoir pris l'initiative, Robespierre, qu'il en soit loué ou blâmé, a tout fait pour éviter l'instauration du nouvel ordre. Il a cédé le terrain pas à pas devant la poussée extrémiste, rusant et combattant afin d'éviter l'étouffement de la liberté, l'instauration d'un régime qu'il juge sans doute inhumain. Il n'a finalement consenti aux mesures d'exception que pour éviter de livrer l'État à des exagérés bien incapables d'en utiliser les ressorts pour le bien commun. Car, une thèse récente et très remarquable l'a parfaitement montré [21], les sans-culottes d'extrême-gauche, s'ils expriment les angoisses « vitales » d'une certaine couche de la population parisienne, manquent terriblement de têtes politiques : Hébert est un journaliste de talent jusque dans ses excès et ses grossièretés, mais il n'est en rien un chef. Il suit la foule, il ne lui montre pas les voies utiles du salut. Jacques Roux et sa bande font figure d'excités, d'ailleurs suspects de s'être laissés noyauter par des agents royalistes qui poussent au pire. Pas un homme d'État là-dedans, mais une poignée

117

de démagogues utilisant la force révolutionnaire, celle des piques et des gourdins, au service de la faim. Robespierre a reculé devant elle au point de laisser entrer dans le Comité les avocats des Enragés : Billaud et Collot d'Herbois. Mais puisque la pression même de ses adversaires lui a mis entre les mains les outils de la dictature, il va exercer celle-ci avec une autorité sans réplique, une implacable rigueur. Et ce changement de front, ce retournement extraordinaire d'un homme que l'on pouvait croire usé constitue un véritable tour de force politique : jamais Maximilien n'a été plus étonnant !

Le gouvernement, déclare la Convention le 10 octobre 1793, *sera révolutionnaire jusqu'à la paix.* Les extrémistes peuvent croire avoir remporté un nouveau et important succès. Il n'en est rien. Car ce décret signifie seulement que nul désormais ne peut plus compter sur les garanties que la Constitution et la Loi donnaient aux personnes, pas plus les Enragés que les autres ! Plus de liberté individuelle, plus de liberté de la presse, plus de liberté économique, plus de droit du peuple à l'insurrection. Le gouvernement en place, celui de Robespierre, demeure et demeurera celui de la France. On le voit aussitôt : le 18 octobre, l'Assemblée ordonne aux Comités révolutionnaires de communiquer aux détenus dans les prisons une copie du procès-verbal portant les motifs de leur arrestation ; Maximilien fait rapporter la mesure six jours plus tard ! *Il faut protéger la liberté individuelle* affirme-t-il, mais *il ne s'ensuit pas qu'il faille par des formes subtiles laisser périr la liberté publique...* Car *il suffit que la notoriété publique accuse un citoyen* pour que celui-ci devienne suspect. Voilà pour les personnes. Et voici pour les collectivités révolutionnaires : lorsqu'au début de novembre, la section Invalides demande son affiliation aux Jacobins, Robespierre fait repousser cette requête parce que *les patriotes ne sauraient trop surveiller les assemblées des clubs de sections.* Avant d'être accueillies dans le Saint des Saints de la Révolution, les collectivités devront être épurées. L'Incorruptible finira par ôter au Comité de sûreté générale, chargé de la surveillance des esprits, une partie de ses attributions de police pour les transférer au Comité de salut public qui lui est dévoué. En vérité, les Enragés lui ont, bien involontairement, offert une arme terrible qui peut parfaitement se retourner contre eux.

Mais, pour que le peuple révolutionnaire de Paris, pour que la nation se soumette à cette dictature, il faut que les efforts de l'été, auxquels Robespierre a présidé, portent leurs fruits, qu'il apparaisse aux yeux de l'opinion comme l'incontestable champion, le sauveur de la Révolution et de la France. Mathiez a parfaitement souligné que Maximilien ne pouvait conserver le pouvoir sans que sa politique paie et paie au comptant. Il en était bien ainsi. Au-dedans, l'automne de 1793 voit la rébellion agoniser : Lyon capitule le 9 octobre, Toulon le 19 décembre. Presque au même moment, la Vendée,

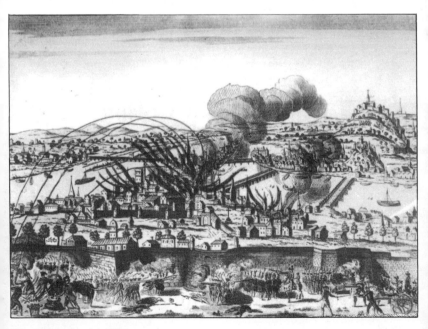

Siège de Lyon (octobre 1793)

battue au Mans, achève de se décomposer à Savenay. Aux frontières, la campagne dite de déblocus écarte les dangers les plus pressants : Houchard libère Dunkerque de la pression ennemie dès septembre, Jourdan bat les Autrichiens à Wattignies le 15 octobre et débloque Maubeuge, la menace sur l'Alsace se dissipe par la victoire de Hoche au Geisberg, les armées du roi de Sardaigne sont repoussées en Savoie, celles du roi d'Espagne piétinent dans le Roussillon. La coalition, certes, n'est pas encore battue, mais les voies classiques de l'invasion sont dégagées et le triomphe se dessine. Comment le pays, comment les patriotes ne seraient-ils pas impressionnés par de tels succès, comment ne seraient-ils pas disposés à entendre Robespierre, à le suivre ?

Celui-ci ne sous-estime en rien la force que lui donnent les victoires de la Révolution. Et il en use. Mais, en vrai tacticien des luttes pour le pouvoir, il sait qu'elles ne suffisent

pas. Il garde un étroit contact avec la Convention et s'y taille une solide majorité, d'autant plus facilement que les timides de la Plaine voient justement en lui le plus modéré des Montagnards ; il peuple le Tribunal révolutionnaire de ses clients ; les bureaux des ministères sont impitoyablement épurés et les commis, de gré ou de force, adhèrent au « robespierrisme » ; mais, surtout, les Jacobins ont été bien repris en main et leur formidable réseau de filiales recueille et répand partout les instructions du maître. L'heure est donc venue de régler leur compte aux Enragés, aux extrémistes dont parallèlement les forces s'amenuisent : les sans-culottes de Paris sous-alimentés, déçus par les vaines parlotes, fatigués par les journées trop nombreuses et inutiles, surveillés de près par les agents jacobins, ne montrent plus le même mordant. Le temps semble propice pour en finir avec les Jacques Roux, les Hébert, les Chabot, les Vincent. Mais que l'on ne s'y trompe point ! Ce ne sont pas tellement des adversaires politiques que Robespierre entend liquider, mais des impurs, des hommes qui déforment le visage de la Révolution, des traîtres à la philosophie de Rousseau. Car ces anarchistes sont aussi et surtout des athées.

Là se découvre en effet le principal grief de Robespierre contre les Enragés. La Commune de Paris, très soumise à leur influence, s'attaque depuis l'été à l'Église constitutionnelle. Il fallait, disait-on, *fonder la République sur les seuls autels de la Patrie*, déchristianiser la nation, *déprêtriser* la société. Soumis à de violentes pressions, neuf évêques et deux mille prêtres renonçaient à leurs fonctions, abandonnaient le célibat. Parmi eux l'archevêque de Paris, Gobel ! Sous l'influence encore forte des « sectionnaires », la Convention votait une pension aux « renonçants ». En octobre, un nouveau calendrier, que Fabre d'Églantine, un ami de Danton, avait su imprégner de poésie, remplaçait l'ancien calendrier chrétien, bouleversant les jours et les habitudes les plus solidement ancrées dans les esprits et les mœurs. Les églises fermaient à Paris et, en province, Fouché interdisait les enterrements religieux et abattait les croix des tombes dans les cimetières. Souvent les édifices du culte étaient

Fête de la Déesse Raison à Notre-Dame

affectés à une nouvelle religion civique, celle de la raison, dans laquelle les fêtes civiques remplaçaient les fêtes chrétiennes. On a beaucoup médit de cette tentative pour instaurer une nouvelle foi et l'on a fortement mais facilement souligné le ridicule, voire l'odieux de certaines manifestations. On aurait plus justement insisté sur l'aspect original de l'entreprise, sur sa signification politique, sur le besoin d'un ordre moral, d'une mystique de remplacement qu'elle suggérait. A ce titre, d'ailleurs, elle n'excitait point a priori l'hostilité de Robespierre dont la religiosité était sincère mais vague. Par contre il se montrait profondément choqué par l'aspect de mascarade que revêtait trop souvent la nouvelle religion, par son manque de contenu métaphysique. Sa police lui signalait que des scènes peu décentes s'étaient déroulées dans certaines églises désaffectées. Et, surtout, il voyait bien que les promoteurs du nouveau culte menaient eux-mêmes une existence dissipée, une action publique suspecte. Il lui paraissait que l'on risquait de faire insensiblement glisser la nation dans un immoralisme ou un amoralisme pernicieux, que l'on détournait la Révolution de sa véritable vocation, celle de l'esprit de sacrifice et de vertu au profit de l'esprit de jouissance. Monstres politiques, les Exagérés étaient en même temps, à ses yeux, des monstres de moralité. Leur condamnation, dès lors, fut arrêtée dans l'esprit de l'Incorruptible.

Il faut d'ailleurs reconnaître qu'ils prêtaient le flanc aux pires accusations. Certes Jacques Roux, d'ailleurs mis hors de jeu depuis l'été et tenu en prison à l'Abbaye, semble avoir été un ascète et un sincère. Mais les autres ! Les informateurs de Robespierre lui faisaient le récit des parties fines qui mêlaient ou avaient mêlé les Chabot, les Héraut de Séchelles, les Hébert avec les brasseurs d'affaires les plus véreux de la capitale et les filles entretenues les plus notoires du demi-monde et de l'Opéra. Le plus grave était que les Hébertistes coudoyaient, se trouvaient en compte avec des étrangers suspects : un Royd, agent de Pitt, qui avait échappé, grâce à Chabot, à l'arrestation et s'était enfui à Londres, un Proli, espion prussien lié à Héraut de Séchelles et d'ailleurs aussi à Camille Desmoulins et Danton, un Kock, Hollandais qui touchait de toutes mains et recevait chez lui Hébert. *Je me méfie*, déclarait Robespierre, *de tous ces étrangers dont le visage est couvert du masque du patriotisme et qui s'efforcent de paraître plus républicains et plus énergiques que nous. Ce sont des agents des puissances étrangères.* Il n'avait point tort, comme il avait raison en subodorant, dans leurs liaisons avec le trop célèbre baron de Batz, le plus audacieux conspirateur royaliste, un danger mortel pour la Révolution. Confondant dans un mépris justifié les amis pourris de Danton avec ceux d'Hébert, Maximilien ajoutait : *Ils emploient le poison du modérantisme et l'art de l'exagération pour suggérer les idées plus ou moins favorables à leurs vues secrètes.*

Une étonnante confusion politique en effet se dégage du tableau que présentent les luttes politiques en France pendant l'hiver de 1793-94. Car, aux efforts des Enragés ou de leur « queue » hébertiste pour provoquer une nouvelle poussée révolutionnaire, se mêlent inextricablement ceux des Indulgents qui voudraient infléchir le cours des événements vers la paix au-dehors, la clémence au-dedans, ce qui sous-entendait au moins une épuration du Comité de salut public, son renouvellement. Nous savons à vrai dire assez mal les démarches secrètes des deux complots contraires et nous ne pouvons que deviner les imbrications qui les lient parfois l'un à l'autre. D'ailleurs Robespierre lui-même paraît s'être trouvé dans une situation analogue à celle des historiens qui ont étudié ce temps : il flotte visiblement, se gardant à gauche, se gardant à droite, frappant ici, parant là un coup, ne poussant aucune attaque à fond. Il sent le danger autour de lui, il le flaire comme un animal politique de race, mais il n'arrive pas à décider, parmi les opposants à la politique du Comité, quel est le plus dangereux, de Danton, patron des Indulgents, ou d'Hébert, leader des extrémistes.

Il semble cependant qu'il ait longtemps trouvé opportun de s'allier, au moins du bout des lèvres, avec l'homme du 10 août pour abattre le Père Duchesne. Il ne fit en effet aucune objection au lancement du nouveau journal rédigé par Camille Desmoulins, lieutenant de Danton, *le Vieux Cordelier*, destiné à soutenir la politique de clémence, et même il eut connaissance, avant leur parution, des deux premiers numéros, qu'il approuva, et qui suscitèrent une vive et sympathique curiosité dans le public. Il est vrai que Camille y faisait l'éloge de l'Incorruptible, sans doute dans le dessein de l'associer à la lutte contre Hébert. De même, Robespierre consentit, s'il ne la suscita, à l'arrestation d'une première fournée d'extrémistes : Delaunay, Julien de Toulouse, Chabot, dont Fabre d'Églantine, autre lieutenant de Danton, était venu dénoncer au Comité les tripotages et les liaisons suspectes avec la conspiration de l'étranger. Lui-même proposa la création d'un Comité de justice qui vérifierait la légitimité des arrestations opérées, les semaines précédentes, parmi les accapareurs et les royalistes, ou prétendus tels. Il eût pu alors reprendre à son compte le mot de Danton, revenu à la vie publique après une longue retraite en Champagne : « Je demande que l'on épargne le sang des hommes. »

A la fin de décembre 1793, le vent tourne. Assurément,

Maximilien voit d'un œil jaloux la popularité renaissante de Danton qui offusque son propre orgueil. Mais aussi, mais surtout, il redoute que la Révolution aille trop loin et trop vite dans la politique de modération. Camille Desmoulins, en effet, dans le troisième numéro du *Vieux Cordelier*, et plus encore dans le quatrième, en vient à prendre position contre le Comité de salut public tout entier : sous prétexte d'un parallèle entre les institutions monarchiques et républicaines, sous prétexte de flétrir les crimes des empereurs romains, il dénonce les violences de la République. Le 20 décembre, dans le numéro quatre de son journal, l'enfant terrible de la Montagne, qui ne manque ni de verve ni de plume, va plus loin encore et écrit : « La Liberté n'est pas une nymphe de l'Opéra, ce n'est point le bonnet rouge, une chemise sale et des haillons. » Il risque, par sa violence, de dresser les sociétés populaires, les clubs contre le gouvernement révolutionnaire, de couper celui-ci des masses, de redonner à la bourgeoisie aisée, celle qui a soutenu jadis les Duport et les Barnave, naguère les Guadet et les Brissot, courage et puissance dans l'État. Il fait, volens nolens, le lit des réactionnaires royalistes. Immédiatement, Robespierre réagit et, le 25 décembre, prononce devant la Convention un vibrant éloge de la Terreur. D'autre part, nul ne l'ignore, Danton et ses amis estiment que la guerre n'a que trop duré, qu'il faut ne point négliger certaines ouvertures alors faites par les coalisés. Or, sans vouloir pousser le conflit aux plus extrêmes conséquences (Robespierre et le Comité de salut public empêchent que l'on provoque des troubles à Mulhouse et en Suisse), Maximilien croit, lui, que le danger aux frontières est encore bien loin de se trouver conjuré et que le gouvernement révolutionnaire doit poursuivre le combat, même au prix d'une dictature maintenue et renforcée. Enfin, et surtout peut-être, les perquisitions opérées chez les suspects arrêtés à l'automne, notamment chez Delaunay, montrent que les Dantonistes ne valent moralement pas mieux que les Hébertistes : Fabre d'Églantine, convaincu d'avoir été mêlé au scandale de la Compagnie des Indes et d'avoir dénoncé les autres « pourris » seulement pour se couvrir, est arrêté le 12 janvier 1794 sans que Danton ose le défendre. Maximilien tonne contre *le modérantisme qui est à la modération ce que l'impuissance est à la chasteté*. Il guette désormais Danton avec la même patience, la même méfiance qu'il accorde aux Exagérés.

Il n'oublie pas en effet ceux-ci et, s'il dénonce la politique de réaction, il déclare que *l'excès ressemble à l'énergie comme l'hydropisie à la santé*. Il ajoute ces paroles menaçantes : *Quelquefois les bonnets rouges sont plus voisins des talons rouges que l'on pourrait croire*. Mais, fort adroitement, il laisse s'user, se déchirer les deux factions pendant les mois de janvier et de février 1794, leur permettant d'espérer l'une et l'autre que finalement il sera de leur parti, avec son prestige incomparable auprès des foules révolutionnaires, ce prestige qui peut leur assurer la victoire. Il surveille autant qu'il le peut - car sa santé s'est altérée et il doit, pendant de longs jours, garder la chambre – l'évolution de la situation. D'autre part, ses « féaux », Saint-Just et Couthon, se chargent de contrôler les événements et interviennent pour que ni l'une ni l'autre des deux factions ne puisse prendre un avantage décisif contre la politique du Comité.

Mais le tableau de l'immense activité déployée par Maximilien entre octobre 1793 et février 1794 ne serait point complet si l'on n'indiquait, au moins brièvement, la part qu'il a prise, au milieu de tant d'agitations et d'alarmes, à l'épanouissement du gouvernement révolutionnaire qui avait jusqu'alors grandi et agi de manière empirique et auquel il donne une forme plus achevée. Depuis juillet 1793 en effet, Robespierre ne s'est attaché à aucune fonction précise, technique du Comité de salut public. Il s'est assigné la tâche de diriger l'ensemble des activités révolutionnaires, la part de méditation et d'action que réclame toute politique concertée. Il était par excellence l'homme de haute main qui coordonne, prévoit, veille à la continuité de la politique gouvernementale, écarte les obstacles, « navigue » entre les écueils. Mais, en outre, il préparait patiemment l'avènement d'un ordre qui permît à la Révolution de se stabiliser, d'apparaître comme un autre régime qu'un régime de rencontre, de hasard, à

s yeux verts le teint pâle, habit nankin rayé ver
ilet blanc rayé bleu, cravatte blanche rayée rouge
croquis d'après nature à une séance de la Conven

la merci d'une foucade de l'opinion, d'un incident de politique intérieure ou extérieure. Au terme de cette réflexion, de cette action, le Comité de salut public fit voter, le 4 décembre 1793, le décret qui organisait le gouvernement révolutionnaire. Au carrefour des pouvoirs, les deux grands Comités de salut public pour la politique générale, celui de salut public pour la surveillance de la Révolution devaient animer l'appareil de l'État. Le Conseil exécutif appliquerait seul la loi que votait la Convention ; les assemblées de district observeront la mise en œuvre des mesures révolutionnaires et enverront, tous les dix jours, leur rapport aux grands Comités. L'administration des départements, dans laquelle dominait souvent une bourgeoisie dont on se méfiait, se voyait réduite à l'étude de problèmes techniques : finances, travaux publics, domaines nationaux. Dans chaque municipalité, un agent national guidera les assemblées locales et sera le seul dépositaire de l'autorité gouvernementale en matière de « terreur ». Lui aussi devra faire, tous les dix jours, son rapport aux Comités. Ainsi les organes nés spontanément de la lutte civile et entre lesquels s'éparpillait, se perdait la volonté gouvernementale, qui créaient une atmosphère de terreur anarchique – comités locaux, sections locales de l'armée révolutionnaire, tribunaux d'exception –, disparaissent. Le décret du 4 décembre fut logiquement complété, le 29 décembre, par l'envoi de 58 représentants en province, qui étaient chargés de communiquer à toutes les parties du corps politique et social la volonté de la Convention, des Comités de Paris. Le retour à l'ordre, à l'efficacité, à la loi devaient normalement résulter de ces nouvelles dispositions [22]. Un pouvoir central animait désormais la Révolution, la fortifiait, lui donnait définitivement sa chance de victoire au milieu du trouble général, et ce pouvoir était celui de Robespierre qui semble bien le grand et peut-être le seul homme d'État véritable d'un temps où se déchaînent les passions et les appétits.

Il se serait sans doute alors contenté de surveiller et de contenir la poussée des factions dantoniste et hébertiste si ne s'était produite une nouvelle et inquiétante crise économique à la fin de l'hiver 1793-94. Le fait est que la Révolution, qui prétendait assurer le bonheur universel aux hommes, n'a pas su ou pu leur apporter autre chose que la guerre et la misère. La chose n'était point nouvelle en 1789 et se reproduira bien souvent ensuite, car violence et troubles, même animés par l'esprit de progrès, déséquilibrent les mécanismes fragiles par lesquels une société assure une relative paix et une prospérité, relative aussi, à ses membres. Il n'y faut toucher qu'avec prudence et finalement les révolutions exigent des citoyens plus de souffrance que n'aurait réclamé une patiente évolution. Mais il faut aussi compter avec la malice du destin, les ambitions des hommes et la fatalité des lois économiques. Bref, à chaque aggravation de la situation des subsistances, à chaque accident affectant le niveau de vie des masses, correspondait, depuis 1789, une nouvelle crise politique. Le grand mérite des historiens marxistes est de l'avoir constaté et souligné, même lorsqu'ils ne font pas ensuite la part suffisante aux exigences du sentiment ou aux appétits des individus. Malgré l'attention particulière que portait le Comité robespierriste à l'approvisionnement de Paris et des grandes villes, la situation redevint tragique à la fin de l'hiver 1793-94. Albert Soboul, dans sa thèse sur *les Sans-culottes parisiens de l'An II*, a fort pertinemment analysé les raisons de la crise : mauvais vouloir des cultivateurs frappés par le maximum, qui ravitaillaient mal les marchés parisiens (« Je graisserais plutôt les roues de ma voiture avec mon beurre que de l'apporter au marché », disait un paysan), avidité des marchands qui tournaient, ostensiblement ou clandestinement, les règlements, mauvaise volonté des autorités de banlieue qui « craignaient de se voir démunies au profit de Paris », anarchie, malgré le décret de décembre, des autorités sectionnaires qui réquisitionnaient sans mesure et décourageaient les commerçants honnêtes, et, par-dessus tout, la prolongation des hostilités, les besoins de la défense nationale, la presque inévitable spéculation des fournisseurs aux armées. Ces désordres aboutissaient pratiquement à soulever l'opinion des pauvres, des malheureux contre le régime et donnaient aux excitations hébertistes un aliment

129

dangereux pour la stabilité des institutions. Robespierre le comprenait très bien et peut-être mieux encore que lui, dans son entourage, Saint-Just. Mais il comprenait aussi que laisser le champ libre aux Exagérés n'aboutirait qu'à rendre plus aiguë la crise en ajoutant le désordre politique aux difficultés économiques. Il fallait donc en finir avec Hébert et ses amis, qui d'ailleurs s'intéressaient moins aux catégories sociales brimées qu'à l'utilisation de leur colère pour assouvir leurs ambitions personnelles et leur appétit de pouvoir. Ils préparaient, en s'appuyant sur le club des Cordeliers, qui a toujours été plus extrémiste que celui des Jacobins, une nouvelle insurrection mais sans intelligence ni véritable dévouement pour les sans-culottes parisiens : « Les buts étaient purement politiques, écrit Albert Soboul, de la disette, il n'est pas question, ni des revendications sociales de la sans-culotterie. Preuve que les dirigeants cordeliers étaient mus surtout par la rancune et l'ambition. » Il est vrai, dit-il ailleurs, que « les revendications des artisans parisiens se sublimaient en plaintes passionnées, en élans de révolte sans jamais se préciser en un programme cohérent », et qu'il en était « de même pour les hommes et les groupes politiques qui participaient à leur mentalité. Ainsi, Jacques Roux, Hébert ; ainsi Robespierre et Saint-Just ». En fait, les révolutionnaires de l'An II sont bien parvenus à l'âge de l'insurrection politique cohérente, mais non à celui d'une lutte des classes entrevue seulement, et de manière confuse, par quelques individus.

Dans cette perspective, la proposition que fit Saint-Just au début du mois de mars, de confisquer les biens des suspects pour les distribuer aux patriotes pauvres – les fameux décrets de ventôse sur lesquels on a tant glosé et sur lesquels nous reviendrons – apparaît moins comme le début d'une véritable révolution sociale que comme une mesure de circonstance : il fallait, en surenchérissant sur les Exagérés, leur retirer une clientèle d'affamés et de violents. La manœuvre réussit pleinement et Hébert ne trouva qu'un faible écho à ses appels à une insurrection qui renverserait le Comité de salut public. Il ne réussit pas à animer le peuple parisien

contre les Endormeurs. Les placards affichés sur les murs de Paris par le Père Duchesne, le crêpe dont on revêtit, aux Cordeliers, la Déclaration des droits de l'homme furent autant de vaines démonstrations. Bientôt usés, réduits pratiquement à l'impuissance, Hébert et ses amis devenaient des proies faciles pour Robespierre. Saint-Just lut, le 13 mars, au Comité de salut public, le rapport qu'il comptait présenter à la Convention contre les Exagérés. Il fut approuvé et, dans la nuit du 13 au 14 (22-23 ventôse), Hébert, Vincent, et le brave général Ronsin, Ducroquet furent arrêtés, tout l'état-major cordelier. On le mélangea, devant le Tribunal révolutionnaire, avec une quinzaine de « pourris » et d'agents de l'étranger avec lesquels il avait été en rapport plus ou moins évident. Condamnée à mort, la bande fut guillotinée le 24 mars, dix jours à peine après son arrestation. La révolution de germinal avait fait long feu, mais, sans le désirer, Robespierre se coupait des éléments les plus activistes, les plus efficaces de la capitale. On en verra bientôt les conséquences.

L'élimination de la Gauche hébertiste entraînait quasi logiquement celle de la Droite dantoniste : Maximilien ne pouvait donner l'impression aux sans-culottes de se livrer, par la condamnation et l'exécution des Cordeliers, aux Indulgents, à la paix immédiate avec la coalition, à l'abolition du maximum, à l'arrêt de la Terreur contre les aristocrates et les accapareurs ; l'Incorruptible ne pouvait sembler donner la main à la clique des pourris qui entourait Danton et dont l'un des membres, Fabre d'Églantine, se trouvait déjà en prison. Robespierre avait longtemps hésité, on le sait : Danton, malgré ses erreurs, ses démarches souvent suspectes, sa moralité douteuse, incarnait l'une des forces dont était animée la Révolution, celle de l'éloquence au service de la souplesse. On ne s'en priverait pas sans une sérieuse réflexion. D'autre part, il entraînerait dans sa chute des hommes pour lesquels Maximilien ressentait de la sympathie, Desmoulins notamment, auquel il avait longtemps pardonné ses foucades, ses inconséquences, à cause de son immense talent d'écrivain. Quant à Danton lui-même, il ne l'avait jamais beaucoup aimé :

une différence trop grande de tempérament, une opposition de « peau » les dressait l'un contre l'autre, et leur liaison n'avait été que politique malgré certaines apparences. L'homme du 10 août, avant sa comparution devant le Tribunal révolutionnaire, se défendit à peine : il paraissait touché par une sorte de neurasthénie, ou plutôt, atteint de cyclothimie ; il passait par une période de dépression. D'ailleurs, il n'avait pour lui immédiatement aucune des forces qui lui eussent permis de lutter efficacement, ni les Jacobins tout acquis à Robespierre, ni les activistes parisiens qui le savaient acquis à une politique de modération, ni la Province qui voyait toujours en lui le chef des massacreurs de septembre 1792, ni en général les honnêtes gens, car sa fortune trop vite acquise, ses intrigues suspectes, ses compromissions, son entourage vénal le discréditaient, comme naguère Mirabeau. Il était en vérité devenu *l'idole pourrie et creuse* dont Robespierre parla avec dédain devant la Convention. L'Incorruptible fut d'ailleurs appuyé par Saint-Just qui détestait Danton, cet homme *qui, dans son cœur, conduit le dessein de nous faire rétrograder et de nous opprimer.* On peut croire aussi que Collot d'Herbois et Billaud-Varenne, fort extrémistes de tempérament, poussèrent à la roue. Seul, au Comité de salut public, Carnot avertit sagement Robespierre : *Songez-y bien : une tête comme celle-ci en entraîne beaucoup d'autres.* En vain. Maximilien donna à fond. A propos de Desmoulins, il eut, devant les Jacobins, ce mot terrible : *L'homme qui tient si fortement à des écrits si perfides est peut-être plus qu'égaré !* Et, aux Jacobins, encore, il marqua nettement sa volonté d'en finir : *Ce n'est pas assez d'étouffer une faction : il faut les écraser toutes.* Dans la nuit du 29 au 30 mars, la réunion des deux grands Comités approuva l'arrestation des chefs indulgents. Les amis du tribun, Legendre notamment, essayèrent le lendemain une timide défense devant la Convention. Robespierre les écrasa : *Je dis que quiconque tremble en ce moment est coupable, car jamais l'innocence ne redoute la surveillance publique.* Legendre s'effondra piteusement. Le procédé qui avait réussi avec Hébert servit une seconde fois : on mêla Danton et Desmoulins avec Chabot, Basire, Favre, une

Les Comités de salut public & de sureté générale arrêtent que Danton, Lacroix #, Camille Desmoulins & phelippeaux ## seront arrêtés ~~sur le champ~~ & conduits dans la maison du Luxembourg pour y être gardés séparément et au secret. charge le maire de Paris de mettre sur le champ le présent arrêté à exécution. # du département d'eure & loire ## tous membres de la Convention nationale

les représentants du peuple.

Billaud-Varenne

Vadier Carnot Le Bas

Collot-d'Herbois

Louis du Bas-Rhin

B. Barère

St-Just Jagot C.A. Prieur Couthon

Dubarran

Voulland

Elie Lacoste M. Bayle

Amar Robespierre

Lavicomterie

98

bande de pourris, auxquels on ajouta même Hérault de Séchelles dont les liaisons avec Hébert étaient notoires. La lutte pour la moralité publique et contre le complot de l'étranger paraissait continuer... On sait comment les accusés faillirent retourner, devant le tribunal, l'opinion en leur faveur par la passion qu'ils apportèrent à leur défense. Il fallut les bâillonner, les placer hors des débats, les tuer en somme. Le 5 avril, ils passèrent à la guillotine.

Plusieurs auteurs, et non des moindres, affirment que cette exécution tomba dans l'indifférence générale. Voire. Ils pourraient bien confondre l'indifférence avec la peur silencieuse. On a parlé aussi de cette atonie du public lors de la mort du roi, et, quelques semaines plus tard, la Vendée se déchaînait. On a parlé d'indifférence encore lorsque les Girondins furent proscrits, et l'insurrection fédéraliste suivit immédiatement. En fait, Carnot l'avait bien vu, l'affaire émut plus d'un. La Convention notamment, déjà inconsolable du vide béant que creusait sur ses bancs l'élimination brutale des Brissotins, celle des Hébertistes, vécut désormais dans l'angoisse et la colère. Tout un secteur de l'opinion enfin, qui tenait, peut-être à tort, Danton pour un grand homme, et qui approuvait sa politique de détente, ne pardonna pas à Robespierre. Les tragédies du printemps, celle de germinal, celle de prairial, allaient coûter très cher à l'Incorruptible, mais il faut, à toute situation, le temps d'évoluer et de mûrir.

Lorsque roule la tête de Danton sous le couperet, Robespierre n'a plus que quatre mois à vivre. « Tu me suis ! » avait crié le tribun au moment où la charrette des condamnés était passée devant la demeure des Duplay. Cette courte période de quatre mois a été souvent baptisée du nom de dictature de Robespierre. Étrange dictature qui se termine si vite par la chute et la mort de Maximilien sous les coups d'une opposition déchaînée ! Il serait plus juste de parler de l'autorité à peu près sans partage du Comité de salut public dont Robespierre demeure théoriquement l'animateur et le chef. Et encore...

Ordre d'exécution de Danton et Desmoulins

On ne peut, de toute manière, comprendre les événements, les luttes tragiques qui ont illustré la fin du printemps et le début de l'été 1794, sans examiner quel fut alors l'Incorruptible. La clef en effet de certaines de ses violences, donc de ses maladresses, de ses hésitations, donc de ses erreurs et peut-être finalement de sa chute se découvre dans son état de santé chancelant. Il ne s'était jamais très bien porté et l'on a vu qu'à plusieurs reprises, sous la Constituante comme sous la Législative, il avait dû interrompre son activité publique pour se soigner et se reposer. L'effort immense qu'il déployait depuis juillet 1793 l'avait épuisé : tombé malade en novembre, il ne se lève et ne reprend ses fonctions que pour s'aliter à nouveau à la fin de janvier 1794. Il paraît à peu près remis en février. Mais au vrai, c'est un homme usé, à bout de forces. L'implacable labeur des hommes d'État l'accable, comme il accablera Napoléon Ier, Casimir-Périer, Mussolini, Hitler ou Roosevelt. Il fallait avoir l'implacable énergie d'un Richelieu, d'un Clemenceau ou d'un Churchill pour résister à l'épreuve du pouvoir, et encore ne furent-ils pas à l'abri de sérieuses défaillances... On peut voir, à plusieurs reprises, Robespierre s'effondrer, éclater en sanglots au cours de discussions un peu vives, tomber dans une sorte de prostration d'où il ne s'évade que pour prononcer des paroles décousues et amères qui jurent avec l'habituel comportement de cette âme d'airain. Mais il y a pire ! C'est l'immense désenchantement qui paraît le saisir au moment où il se trouve au faîte de sa fortune. En frimaire déjà, il se disait *seul avec son âme*. Il se définira lui-même, la veille de sa chute, *l'esclave de la liberté, le martyr de la République*. Il se voit, il se croit entouré d'ennemis acharnés à sa perte : son génie, naturellement sombre et exaspéré par la fatigue, l'incline à saisir autour de lui une volonté concertée de persécution. Il devient irascible, supporte mal la contradiction, même anodine. Mais surtout, comme il arrive souvent aux hommes de foi qui sont aussi des hommes d'action, il mesure l'écart entre l'idéal qu'il s'est formé de la Révolution et le spectacle qu'elle offre à ses yeux. Non qu'il doute et renonce : *Si la Providence a bien voulu m'arracher des mains des assassins, c'est pour m'engager à m'employer utilement dans les moments qui me restent encore.* Mais, au fond de lui, il ressent une vive déception : il ne croit plus à son propre destin qu'il identifie, par une démarche de l'esprit, elle aussi commune chez les conducteurs de peuples, avec celui de la Révolution dont il est assuré d'incarner le génie. Cette hypertrophie, ou plutôt cette transcendance du moi, transforme un être de raison, un logicien et presque un mécanicien de la Révolution en un triste, un romantique qui perd de vue les impératifs du combat politique. Lui qui, tant de fois, a pris au piège de sa lucidité, de son sang-froid, de son implacable raisonnement ses adversaires, devient à son tour une proie pour les réalistes, les habiles, les calculateurs. Cette débâcle afflige, mais ne peut surprendre. Brissot, Danton l'avaient connue, plus rapide, plus complète encore. D'autres la subiront. Telles sont les limites de l'homme, même supérieur, lorsqu'il affronte des forces qu'il peut un moment dominer, mais qui finalement le dépassent pour l'écraser. Et l'on se prend, comme M. Fay, dans son livre récent sur *la Grande Révolution* à reviser un peu le jugement sévère que l'histoire portait naguère sur un Louis XVI qui, dans des circonstances comparables, a tenu plus et mieux que ses brillants adversaires. Il est vrai que le roi, lui, était soutenu par le principe qu'il croyait incarner et le prestige qui lui venait de la tradition et de la foi monarchique...

Ces réserves faites, il est vrai que Robespierre semble dominer, entre mars et juillet 1794, la Révolution et que peut-être il essaya alors d'en fixer le cours. Mathiez croyait même qu'il lui avait imprimé une nouvelle force en même temps qu'une nouvelle direction. Il s'appuyait, pour le soutenir, sur l'analyse des fameux décrets de ventôse dont nous avons déjà parlé à propos de l'élimination des Hébertistes. Rappelons d'un mot le contenu de ces dispositions votées par la Convention sur proposition de Saint-Just le 26 février 1794 (8 ventôse an II) : *Désormais les propriétés des personnes reconnues ennemies de la Révolution seront confisquées* [23]. Cette disposition est complétée pour application, cinq jours plus tard, par un second décret (13 ventôse) : *Il ordonne à toutes les communes de dresser la liste des patriotes indigents et à tous les Comités de surveillance de fournir au Comité de sûreté générale la liste de tous les détenus pour cause politique depuis le 1er mai 1789 avec des notes sur chacun d'eux. Les deux Comités, munis de cette vaste enquête, décideraient en dernier ressort de la Confiscation des biens des ennemis de la Révolution et parallèlement le Comité de salut public établirait le tableau des patriotes malheureux à qui les biens confisqués seraient distribués* [24]. Il s'agit là, pour Mathiez, d'un véritable tournant de la Révolution : la Terreur se plaçait au service d'une vaste redistribution des biens (il y avait environ trois cent mille détenus politiques dans les prisons). « Elle n'avait plus honte d'elle-même. Elle devenait un régime, le rouge creuset où s'élaborait la démocratie future sur les ruines accumulées de tout ce qui tenait à l'ancien ordre. » Tranchons d'un mot qui va peut-être au-delà de ce qu'insinuait Mathiez : la Révolution se faisait socialiste puisque la propriété individuelle n'était plus définie que par la loi et surtout par l'allégeance à la Révolution.

Mathiez fonde son raisonnement non pas seulement sur le

texte des décrets, mais aussi sur le commentaire qu'en fit Saint-Just dans son discours de présentation : « L'idée particulière que chacun se fait de sa liberté selon son intérêt produit l'esclavage de tous et encore ce qui constitue une République, c'est la destruction de tout ce qui lui est opposé ». Enfin et surtout : « La force des choses nous conduit peut-être à des résultats auxquels nous n'avions pas pensé. L'opulence est dans les mains d'un assez grand nombre d'ennemis de la Révolution... La Révolution nous conduit à reconnaître ce principe que celui qui s'est montré l'ennemi de son pays n'y peut être propriétaire... Les malheureux sont les puissances de la terre. Ils ont le droit de parler en maîtres aux gouvernements qui les négligent. »

La thèse de Mathiez a eu longtemps force de loi et il fallait beaucoup de témérité, fondée d'ailleurs sur beaucoup d'ignorance, à un jeune étudiant, en 1935, pour soutenir, dans un

travail tout scolaire, un point de vue opposé [25]. On est allé depuis cependant à l'autre extrémité de la contradiction et, dans un livre qui fit quelque bruit, on a soutenu que Robespierre et les siens semblent plutôt les précurseurs de la réaction thermidorienne dans la lutte acharnée qu'ils ont menée contre les sans-culottes qui tentaient une révolution prolétarienne sous la conduite d'Hébert [26]. Albert Soboul a justement critiqué cette théorie en faisant observer que l'on transposait ainsi « au XVIIIe siècle les questions de notre temps, que l'on faisait de la sans-culotterie artisanale et boutiquière un prolétariat d'usine », que « l'on prenait pour une avant-garde prolétarienne ce qui n'est parfois qu'une arrière-garde défendant les positions de l'économie traditionnelle » et qu'on « enlevait ainsi tout caractère spécifique au mouvement populaire sous la Révolution ». La vérité sur les décrets de ventôse semble bien en effet se tenir entre les opinions entières de Mathiez et de son contradicteur, ainsi que l'ont bien montré Lefebvre et Soboul lui-même. Le premier notamment a souligné combien hésitante avait été la politique sociale du Comité de salut public au printemps de 1794. D'abord les décrets de ventôse n'ont subi qu'un début d'exécution, et encore non point dans toute la France. Nous voyons bien ensuite que Barère, mais aussi Robespierre, déclarait hautement contre-révolutionnaire toute action concertée hostile à ces négociants que dénonçait Hébert. Il apparaît encore que le gouvernement ne prêtait aucune attention vraie aux réquisitions, sauf à celles intéressant l'armée. Carnot s'oppose de son côté au développement des manufactures d'État sous le prétexte que la paperasserie des bureaux gênait la production qui avait besoin d'être stimulée. Enfin on laisse aux importateurs et aux exportateurs des grands ports plus de liberté que jamais dans leurs entreprises. Soboul, de son côté, montre de façon fort convaincante que Robespierre et les siens persécutaient toute trace d'hébertisme parmi les artisans parisiens au risque de les détourner de la Révolution montagnarde. Il existe donc un faisceau de faits qui donnent à penser sur la politique sociale du grand Comité. Il est infiniment probable que Saint-Just et Robespierre demeurent « sourds à l'idée de diviser les grandes propriétés en petites exploitations, à la réforme du métayage[27] », que finalement ils demeurent attachés à une forme de démocratie de petits possédants, artisans et cultivateurs, sans vouloir entreprendre une lutte chanceuse contre la bourgeoisie en place. Dans cette perspective, les décrets de ventôse constituent, non point une vaste réforme sociale à l'avant-garde de la Révolution, mais une récompense politique pour ses soutiens naturels qui participeront enfin à la grande curée des biens contre-révolutionnaires inaugurée par la confiscation des propriétés du clergé et continuée par la mainmise sur les biens des nobles émigrés.

Que la pensée du Comité de salut public soit surtout politique ne fait d'ailleurs aucun doute, à considérer l'extraordinaire concentration des pouvoirs qu'il opère selon les vues et sous la direction de Maximilien. Désormais, le Comité de salut public en effet tend à assumer, directement ou non, et surtout directement, toute la responsabilité du pouvoir. Les ministres qui appliquaient les instructions de la Convention et des Conseils disparaissent et sont remplacés par des Commissions exécutives dont la docilité est exemplaire. Les représentants en mission – les Carrier, les Fouché, les Tallien, les Barras – sont rappelés : on leur reproche, autant que la manière anarchique dont ils dirigeaient les organes de terreur en province, leur indépendance à l'égard du pouvoir central. Le Comité de sûreté générale qui manifestait, dans la politique religieuse, dans la surveillance du Tribunal révolutionnaire, un certain détachement à l'égard du Comité de salut public dont les membres paraissaient infectés d'hébertisme, se voit atteint dans ses prérogatives essentielles : un Bureau de police, à l'exclusif bénéfice du Comité de salut public, est organisé. Il aura à connaître, conjointement avec le Comité de sûreté générale, de la surveillance, de la recherche et de l'emprisonnement des suspects. Au Comité de salut public lui-même, tout vient de plus en plus aboutir à Robespierre et à ses deux fidèles lieutenants : Couthon et Saint-Just, qui alternent avec l'Incorruptible à la direction du Bureau de police, revoient personnellement et soigneusement

Couthon

les listes des suspects, rayant celui-ci, ajoutant celui-là (ils rayent plus qu'ils n'ajoutent). Les autres membres du Comité sont confinés dans des attributions techniques et certains d'entre eux soumis à une étroite surveillance. Tout se passe comme si la Révolution débouchait sur une république autoritaire ·dirigée par un triumvirat de purs, de dévoués.

Simultanément, la Terreur s'exaspère en vertu d'une loi proposée par Couthon, défendue par Robespierre et votée par la Convention le 10 juin 1794 : la trop fameuse loi de prairial qui, autant que les décrets de ventôse, a suscité les interprétations les plus variées. Rappelons qu'aux termes de cette loi sont désormais suspects ceux qui cherchent à *dégrader les mœurs, corrompre la conscience publique, ceux qui auraient cherché à inspirer le découragement, ceux qui auront répandu de fausses nouvelles.* Les interrogatoires préalables des accusés sont supprimés, les juges forment leur opinion à l'audience seulement. Il n'est plus besoin de produire de témoins au cas où le tribunal « a suffisamment de preuves soit matérielles, soit morales ». Plus de plaidoiries, plus d'avocats. On créera à Paris autant de sections du Tribunal révolutionnaire qu'il sera utile pour concentrer la répression dans la capitale... Pour certains historiens, il s'agit d'une catastrophique évolution vers la dictature sanglante de Robespierre : ils procèdent de Michelet qui affirme : « La loi de prairial semblait l'étalement d'un droit de proscription universelle. A qui donnait-on ce droit ? A Robespierre seul. » Et ils s'appuient sur une phrase évidemment terrible de Couthon : « Il n'est pas question de donner quelques exemples, mais d'exterminer les implacables satellites de la tyrannie. » Pour d'autres, notamment H. Calvet, qui a soutenu avec beaucoup de brio cette opinion [28], la loi de prairial constitue bien un outil de dictature, mais c'est aussi « un phénomène inhérent à toute révolution », c'est-à-dire la réunion et la confusion des pouvoirs qu'il ne faut pas attribuer à la seule volonté de Robespierre. H. Calvet fait observer que la loi a été proposée dans les formes ordinaires, donc qu'elle a reçu l'approbation préalable du Comité de salut public au moins. Elle serait alors l'expression de la politique de centralisation dictatoriale et de concentration des pouvoirs menée en l'An II, non par le seul Robespierre mais par tout le Comité de salut public, « l'expression d'un nouveau droit et d'une mystique révolutionnaire ». Mathiez et ses disciples, eux, ne séparent pas cette mesure de décrets de ventôse : son objet aurait été d'accélérer la proscription des suspects afin d'opérer plus vite le vaste transfert des biens appartenant aux riches contre-révolutionnaires et destinés aux pauvres patriotes. Georges Lefebvre enfin, répondant à H. Calvet, a présenté une interprétation nouvelle et relativement satisfaisante de la loi de prairial [29].

Il remarque d'abord que les révolutionnaires sont, depuis 1789, obsédés par l'existence vraie ou supposée d'un vaste « complot aristocratique » et que le peuple révolutionnaire réagit, depuis la prise de la Bastille, de manière anarchique et féroce, contre ce danger. D'où les troubles, les exécutions sans mandat qui ont ensanglanté la France sous la Consti-

tuante, la Législative et le
début de la Convention. Pratiquement, la répression des
menées subversives, surtout
depuis les massacres de septembre, échappe au contrôle
du pouvoir central : « Le
champ de la répression s'élar-
git tandis que sa rigueur est
extrêmement inégale. » Les
drames de ventôse et de germinal - l'élimination des Hébertistes et des Indulgents -
ont ouvert une nouvelle chasse
à l'homme et encore aggravé
cette anarchie. Dans cette
perspective, la loi de prairial
apparaît comme un moyen de
rationaliser la répression, de
la rendre à la fois plus rapide
et moins incertaine, au total
plus humaine. Lefebvre rappelle que, dès le 25 décembre
1793, il a été entendu que l'on
perfectionnerait le fonctionnement du Tribunal révolu-
tionnaire. Dans l'esprit de
Couthon, de Robespierre, de
Saint-Just, ce perfectionne-
ment, cette réorganisation devait diminuer et non aggraver
le nombre des exécutions.
Mais leurs intentions ont été
défigurées par le Comité de
sûreté générale : celui-ci, par
désir de conserver sa raison
même d'exister, d'augmenter
ses pouvoirs, a étendu la

Arrestation de Cécile Renault

Terreur au lieu de la restreindre, a aiguillonné le Tribunal révolutionnaire où Fouquier-Tinville, l'accusateur public, obéissait bien plus à Vadier, Amar, Voullard (les grosses têtes du Comité) qu'à Robespierre. Preuve en est que celui-ci a essayé de faire destituer le président, Hermann, et Fouquier-Tinville lui-même ; s'il a échoué, la faute en revient au Comité de sûreté générale et à certains membres du Comité de salut public. Maximilien aussi a protesté en vain contre l'affreuse pratique des fournées où l'on jugeait pêle-mêle et envoyait en vrac à la guillotine des suspects qui n'étaient pas poursuivis pour les mêmes crimes. Enfin, et il existe quelque contradiction entre cette nouvelle explication et la prédécente, Lefebvre pense que Robespierre aurait été affolé par la double tentative d'assassinat dont il fut l'objet peu avant le vote de la loi de prairial. Le 20 mai en effet, un individu très louche, Admiral, que l'on crut lié au baron de Batz, l'insaisissable conspirateur royaliste, voulut tuer Maximilien et, n'ayant pu le joindre, tira inutilement deux coups de pistolet sur Collot d'Herbois. Trois jours plus tard, une gamine exaltée et un peu simplette, Cécile Renault, fut arrêtée : elle recherchait Robespierre et s'était munie de « deux petits couteaux ».

Maximilien dénonça, le 25 mai, les sicaires de Pitt : *Nous serons tous assassinés !* s'écriait-il devant les Jacobins. Le 17 juin, 53 accusés, que l'on supposait peu ou prou complices des deux meurtriers, furent exécutés, revêtus de la chemise rouge des parricides... Il en résulta chez les militants révolutionnaires une poussée de fureur : « Vengeance ! Vengeance pour toi et pour nous ! » proclame la Société populaire de Mirabeau. « Frappez du glaive la tête des royalistes », réclame la Société populaire de Sisteron. Les Anglais sont traités « d'anthropophages » par les militants de Sens. La Convention elle-même, à la requête de Barère, demande que l'on exécute sans attendre les prisonniers de guerre britanniques (il semble que cette mesure n'ait pas reçu d'application, pour l'honneur de la France et de la Révolution). Enfin le Comité de salut public se croit « menacé par un assaut ». Robespierre supplie Saint-Just en mission à l'armée du Nord de revenir d'urgence à Paris : *Le Comité a besoin de réunir les lumières et l'énergie de tous ses membres,* et son appel est contresigné par Carnot, Prieur de la Côte-d'Or, Billaud et Barère. Le même Barère, au moment où l'on discute à l'Assemblée la loi de prairial, et Billaud aident Robespierre à obtenir le vote. Saint-Just s'associe à la décision prise qui lui paraît « dans le courant logique du mouvement révolutionnaire ». Tout cela semble à Georges Lefebvre une nouvelle preuve de la volonté exprimée par Maximilien d'éviter des désordres anarchiques et sanglants, un moyen de restreindre une nouvelle poussée de terreur spontanée. Mais le fait demeure que, d'avril à juillet 1794, 2 100 têtes tombent à Paris dont 1 376 du 10 juin au 27 juillet.

On trouve, à ce moment, dans les notes inédites de Saint-Just, une phrase très caractéristique de l'état d'esprit régnant chez les amis de Robespierre : *Une chose triomphe de tout sur la terre : c'est l'audace unie à la vertu* [30]. La vertu, tel est le mot clef du surcroît de terreur institué par la loi de prairial. La vertu et l'audace. Vertu, à la fois au sens où l'entendaient les Anciens et Montesquieu, c'est-à-dire l'alliance du courage et de la pureté de l'âme, elle-même gage suprême de la légitimité des sociétés et des régimes politiques. La République était fondée et, dans l'esprit de Maximilien, stabilisée, sinon dans les faits, du moins dans la volonté des Français. Mais elle réclamait, de la part de ses dirigeants, un effort de moralité ; de la part du peuple, la double croyance dans l'Être Suprême et l'immortalité de l'âme. Faute de quoi, la République se dégraderait à l'égal des régimes heureusement abolis. La vertu était la pierre angulaire sur laquelle Paris deviendrait une nouvelle Rome. Au nom de la vertu, Hébert avait été éliminé et Danton abattu. Il fallait qu'elle fût solennellement exaltée, qu'elle devînt l'objet d'un culte public. Il fallait qu'une nouvelle religion rassemblât les masses, une religion naturelle, celle du Vicaire savoyard, loin des dogmes compliqués et surannés du catholicisme, réduite à des idées simples et accessibles à tous. Ainsi prendrait-on d'une part aux anciennes croyances, d'autre part à la dévotion pour la Raison, populaire chez certains sansculottes, le bon des différents systèmes. Cette religion serait, selon Robespierre, *un appel continuel à la Justice*, donc *sociale et républicaine*. Dès le 7 mai 1794, la Convention est invitée par lui à donner sa forme à la nouvelle Loi et à en organiser le culte : le peuple français décrète – chose inouïe ! – l'existence de Dieu, de l'Être Suprême et de l'immortalité de l'âme ! Chaque décadi – le décadi remplaçait depuis de nombreux mois le dimanche – sera l'objet d'une fête et certaines fêtes revêtiront une pompe spéciale. Le 14 juillet et le 10 août, le 21 janvier (date de la mort du roi), le 31 mai (date de la chute de la Gironde) seront particulièrement honorés. La Vérité, la Pudeur, la Frugalité, la Haine des Tyrans [31] bénéficieront d'une particulière célébration. Et, pour commencer, le décadi du 8 juin, qui correspondait – est-ce un hasard ? – à la ci-devant Fête-Dieu, marquera l'intronisation du nouveau grand pontife, Robespierre lui-même. On a vu plus haut ce que fut cette fête qui scandalisa les âmes pieuses selon l'ancien ordre et provoqua les ricanements chez les athées endurcis. Au Comité de sûreté générale notamment, où l'on jalousait Maximilien, l'indignation montait : Robespierre pactisait avec les prêtres, les Endormeurs de l'humanité. Mieux, il se faisait prêtre, il trahissait l'esprit de la Révolution.

Les mouchards de police, sur l'ordre de Vadier, un des plus acharnés parmi les « sans-dieu », se mirent en quête d'un bon scandale capable de discréditer et la nouvelle religion et le nouveau pape. On ne tarda pas à découvrir – on le peut toujours et en tout temps dans une grande ville – un groupe de niais vaguement mystiques faisant cortège à une vieille folle, Catherine Théot, qui se faisait appeler la Mère de Dieu. Dans les séances de cette secte minuscule, on encensait Robespierre à l'égal d'un nouveau Messie. Il est à croire que la provocation ne se trouvait pas absente de ces mômeries. Simultanément, on faisait courir le bruit à Paris et en province (à Lyon surtout) du prochain mariage entre Robespierre et Madame Royale, ce qui laissait à penser que l'Incorruptible songeait à créer une nouvelle dynastie appuyée sur une religion, nouvelle aussi. Maximilien eut la faiblesse de prendre

ces sottises au sérieux, de demander le dossier de l'affaire Théot, prêtant le flanc aux accusations de Vadier ! Il sera question de cette histoire jusqu'aux heures tragiques du 9 thermidor. Rien ne démontre mieux l'état de déficience physique dans lequel Robespierre se trouvait alors. Rien ne prouve aussi plus évidemment le mécontentement d'une opinion capable d'accueillir toutes les accusations, même les plus sottes, pour discréditer et abattre le maître de l'heure.

Cette opinion d'ailleurs comprenait d'autant moins la recrudescence de terreur, l'effort matériel et moral qui lui était réclamé que l'état de la défense nationale lui paraissait meilleur. Au-dedans, la Vendée était réduite à une guerilla sans danger immédiat pour la République ; les insurrections fédéralistes étaient écrasées depuis longtemps ; les royalistes du Sud-Est avaient dû se soumettre. Mais surtout, au-dehors,

aux frontières, un succès éclatant couronnait la politique du Comité de salut public, de Robespierre. On avait vu, « pour la première fois depuis l'antiquité, une armée vraiment nationale marchant au combat » (Lefebvre) [32]. Carnot, secondé par Lindet, par Jean Bon Saint-André – un ancien officier de marine devenu pasteur –, avait organisé sur mer et sur terre des forces redoutables animées par les représentants en mission dont Saint-Just s'était montré le plus actif, le plus efficient. La victoire sur la coalition paraissait toute proche et le signe le plus visible en était la querelle qui opposait nos ennemis : la Prusse en particulier se désintéressait visiblement d'une guerre difficile où elle n'apercevait aucun profit immédiat et elle regardait plus volontiers vers l'est, vers la Pologne dont Petersbourg et Vienne préparaient un dernier et décisif partage. Dans ces conditions, nos armées, sur tous les fronts, avançaient et dépassaient les limites naturelles : les Espagnols évacuaient le Roussillon et le pays basque, les Italiens repassaient les Alpes, au nord de l'Alsace les Prussiens demeuraient inactifs ; sur mer, grâce au sacrifice du *Vengeur*, nos escadres, cependant privées de cadres (presque tous les officiers avaient émigré), permettaient aux convois de blé l'entrée dans le port de Brest. Mais surtout, du côté de la Belgique, un véritable triomphe excitait le courage de nos soldats. Cobourg avait remporté un ultime succès en avril par la prise de Landrecies, bientôt payé par des échecs en face de la vigoureuse offensive commandée par Carnot : Moreau le battait à Tourcoing, Jourdan l'écrasait à Fleurus le 26 juin 1794. La Belgique s'ouvrait aux Français : Anvers, Bruxelles, Liège étaient pris. Non seulement la Révolution ne se sentait plus menacée du dehors, mais elle pouvait se faire conquérante. La Terreur avait certes permis en partie l'effort immense qu'exigeaient de si grands succès. Mais ne pouvait-on maintenant détendre le régime ? Ne pouvait-on rendre la Révolution plus humaine ? Le temps n'était-il pas venu du pardon ? La France n'avait-elle pas mérité quelques instants de bonheur ? Robespierre ne le croyait pas, pas encore, et il allait payer cher cette monstrueuse erreur de psychologie.

LISTE DE PROSCRI

COMISSION D'EXECUTI

J'as joué les Français et la divinité....
Je meurs sur l'échafaud. je l'ai bien mérité

CONCLUSION

Voici donc venu l'épilogue de cette étonnante aventure, celle d'un homme ayant réussi, un temps à dompter une tempête qui paraissait excéder, et de loin, les forces humaines, pour, à son tour, être entraîné par le tourbillon des événements, et succomber. Les historiens les plus amis de Robespierre, les plus fidèles à sa mémoire doivent avouer qu'au mois de juillet 1794 un formidable mécontentement soulevait, contre l'Incorruptible, non seulement la plupart de ses collègues au Comité de salut public, non seulement les membres du Comité de sûreté générale, non seulement la Convention, mais l'opinion publique tout entière. C'était là bien sûr un effet du caractère de la nation française dont Richelieu écrivait qu'elle est *prompte au découragement* et à laquelle Robespierre demandait trop de constance dans l'effort, trop de persévérance dans les desseins. Mais les motifs ne manquaient point pour détester Maximilien, souhaiter se débarrasser et de lui et de ses partisans.

Au Comité de salut public d'abord, les rivalités de personnes s'exaspéraient. Collot d'Herbois et Billaud-Varenne, qui étaient entrés dans le Conseil sinon exactement contre la volonté de Maximilien du moins sans qu'il le désirât, représentaient une tendance extrémiste du mouvement révolutionnaire. Ils avaient été imposés pendant l'été de 1793 par les Enragés et ils demeuraient, au plus secret d'eux-mêmes, attachés à l'idée qu'un Jacques Roux, un Varlet, un Hébert se faisaient de la République. Robespierre, ils le savaient, était hostile à leur athéisme, aux mesures de contrainte économique dont ils préconisaient l'adoption ou le maintien. Ils avaient soutenu, jusqu'au point où leur action les eût compromis aux yeux du Maître, les Exagérés, et, au fond d'eux-mêmes, ils ne lui pardonnaient pas le drame de germinal. A l'autre extrémité de l'opinion, Robert Lindet, le technicien du ravitaillement, demeurait attaché au souvenir de Danton qui avait été son protecteur et son ami. D'humeur prudente, de tempérament modéré, il regrettait la proposition et l'adoption des décrets de ventôse. Carnot partageait cette opinion ; Prieur de la Côte-d'Or et Jean Bon Saint-André le suivaient volontiers comme un modèle qu'ils admiraient. Barère, fin et diplomate, observait attentivement et se rangeait du côté du plus fort. Tous d'ailleurs étaient épuisés par le travail surhumain qu'ils s'imposaient, surexcités par cette vie dangereuse où l'on risquait à chaque moment sa tête. Tous aussi détestaient Robespierre à cause de la distance qu'il semblait mettre de plus en plus entre le commun de la Révolution et sa propre personne, pour la dictature de fait qu'il exerçait sur leurs personnes morales et ils auraient volontiers pris à leur compte le mot de l'Athénien légendaire : *Je vote contre Aristide parce que je suis las de l'entendre appeler le Juste.* D'autre part, entre le fidèle Saint-Just et Carnot existait une sorte de jalousie, l'un et l'autre prétendant à la plus haute compétence militaire, et aussi comme une hostilité de personne : les querelles étaient fréquentes et gagnaient bientôt tout le Comité, au point qu'on avait dû déplacer le siège de celui-ci afin que les bureaux, et même le public n'en soient point incommodés. Robespierre excédé, fatigué lui aussi, boudait et demeurait plusieurs semaines sans rencontrer ses collègues. En vain, Couthon, que cette situation désolait et inquiétait, Saint-Just lui-même, qui en apercevait les dangers, s'étaient entremis. Une tentative de réconcilia-

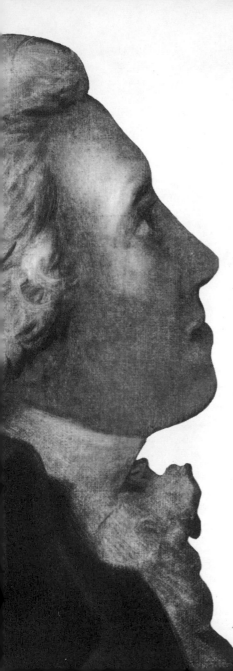

tion générale n'aboutit qu'à un replâtrage médiocre et à de nouveaux reproches mutuels. Maximilien ne pouvait plus compter sur le soutien ferme du Comité. Heureux si celui-ci ne prenait point, le cas échéant, le parti de ses pires ennemis !

L'opposition était plus évidente encore au Comité de sûreté générale. On l'avait peuplé d'hommes de second ordre, les Vadier, les Amar, les Voulland, qui jalousaient ceux du Comité de salut public. Ils faisaient grief particulièrement à Robespierre de la « diminutio capitis » que leur avait infligée l'institution, près du Comité de salut public, du Bureau de police qui rognait sur leurs attributions en matière de répression. Mais surtout ils demeuraient, eux aussi, attachés à la mémoire des chefs hébertistes dont ils avaient été les amis. Ils voyaient avec dépit et fureur la Révolution prendre un tour spiritualiste, revenir à ils ne savaient quelle idée mystique de l'homme et de l'État qui leur paraissait une duperie à l'égard du peuple. Ils se concertaient volontiers avec Collot et Billaud, dont les tendances se trouvaient proches des leurs, et avec des représentants en mission : Fouché,

Barère, par David.

Tallien, Carrier, rappelés de leur province et, comme eux, athées. L'affaire de Catherine Théot, montée de toutes pièces par Vadier, soulignait l'opposition latente du Comité de sûreté générale contre Robespierre et ruinait savamment le respect que, naguère encore, témoignaient à l'Incorruptible l'Assemblée et l'opinion.

La Convention elle-même flottait. La Gironde, décapitée, n'y comptait plus : ce qu'il en restait se taisait, et guettait l'heure de la vengeance. D'énormes brèches s'ouvraient dans les rangs de la Montagne, affaiblie par l'élimination des Hébertistes et des Dantonistes dont les amis, eux aussi, attendaient l'heure d'abattre le Maître. La Gauche ne constituait plus un groupe cohérent : l'absence d'opposition à ses principes et ses décisions l'avaient comme dispersée, éparpillée, chacun se préoccupant de ses intérêts propres plus que du salut commun, apparemment assuré par les victoires au-dedans et au-dehors. Restait surtout la Plaine, muette, tremblante depuis la loi de prairial, exaspérée au fond par le danger permanent que faisait planer sur elle l'inflexible autorité de Robespierre. Il était impossible à celui-ci de s'appuyer sur l'Assemblée sans qu'elle cédât à la peur et surtout à la rancune. Car la Convention lui reprochait les mutilations successives qu'elle avait dû subir : l'éviction des Brissotins eux-mêmes, celle des Indulgents, celle des Enragés. Reproche injuste d'ailleurs : non seulement Maximilien n'avait pas été le seul à conduire l'assaut contre la Gironde et les « factions », mais encore il avait sauvé, contre les sans-culottes parisiens, l'existence même de l'Assemblée au cours de l'été de 1793. Mais, étant le plus en vue, il faisait cible et fixait sur sa personne la colère, les rancunes, le remords et les craintes.

Tant de haine, tant d'irritation, tant de jalousie eussent été sans doute impuissantes à l'abattre si l'opinion publique ne s'était détournée de lui. Prétendre que Robespierre, au début de l'été 1794, demeure un objet universel d'admiration, d'amour et qu'il fut abattu par une poignée d'opposants, n'est que dérision. Un peuple, une nation ne se sont jamais débarrassés de leurs chefs sans au moins le consentement tacite, l'indifférence de la majorité. Maximilien suscitait certes encore des dévouements et même des fanatismes : l'épidémie de suicides qui accompagnera sa propre mort en est témoin. Mais, à tort ou à raison, l'opinion publique dans son ensemble le confondait alors avec le régime de terreur aggravé depuis prairial. Sur les charrettes conduisant au couteau de Sanson les « fournées » de malheureux apparaissait en surimpression le visage de Maximilien, quoi que celui-ci en eût. Or tout ce sang écœurait parce qu'il semblait inutile. Naguère encore on se pressait sur le passage des cortèges de mort. On s'en détournait aujourd'hui avec dégoût. L'odeur des supplices qui montait, six mois plus tôt, à la tête des Parisiens les obsédait maintenant. Et puis tout le monde avait peur. On se communiquait avec effroi les questionnaires auxquels les « suspects » devaient répondre :

— *Es-tu noble ?*
— *Es-tu prêtre ?*
— *As-tu été agent de change ?*
— *As-tu fait un don patriotique ?*
— *As-tu payé exactement tes impôts ?*

Tant que la guillotine avait coupé seulement les têtes dépassant ce que le général de Gaulle a appelé joliment « les fourrés de la démocratie [33] », on ne s'inquiétait guère. Mais à présent tout le monde se sentait visé : il suffisait de la dénonciation d'un voisin, d'un débiteur insolvable, d'un jaloux pour être inquiété. On tremblait d'avoir épousé une femme trop jolie, de posséder un bien au soleil, un commerce prospère, un trésor en or bien caché. La Terreur était partout et d'abord dans les âmes. Robespierre, *volens nolens*, incarnait la Terreur. Même les petits, les humbles, les sans-culottes, dont il avait été le dieu et qui l'avaient fidèlement suivi, ne le comprenaient plus : l'affaire de germinal les avait désorientés. Leur idole semblait être passée de l'autre côté, celui de l'Ordre inhumain de la Réaction, des Riches, pourvu qu'ils s'intitulassent Jacobins. La police politique exerçait des ravages dans les sociétés populaires jadis affiliées aux Cordeliers. L'homme aspirait à la dictature, on s'en persuadait, une dictature dont personne n'éprouvait ni la nécessité ni

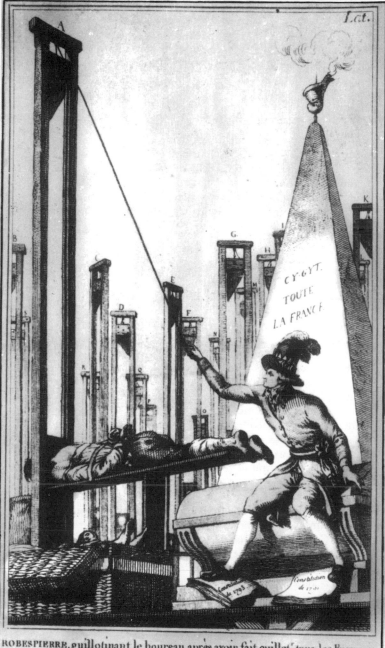

ROBESPIERRE, guillotinant le boureau après avoir fait guillot' tous les François

surtout n'admettait la légitimité.

Il fallait à ce grand mouvement contre Robespierre un levain. Il se découvrit chez les représentants en mission rappelés de province. Ceux-ci se sentaient les premiers et les plus gravement menacés. Fouché, Carrier, Tallien, Barras, Le Bon, Fréron avaient procédé, au cours de leur mission, à des hécatombes parmi les contre-révolutionnaires. Mais souvent leur férocité n'avait pas eu pour justification l'intérêt public : leur avidité, celle de leurs maîtresses ou de leurs amis, la démagogie, le fanatisme aveugle et même parfois un impardonnable sadisme avaient inspiré l'action répressive. Robespierre le savait et c'est pourquoi il les avait fait rappeler. Et eux savaient que Robespierre savait. Ils se doutaient que l'Incorruptible les méprisait autant qu'il les détestait pour avoir défiguré, dans le visage de la Révolution, celui de la Vertu. Ils craignaient sa vengeance. Deux d'entre eux se montraient les plus actifs. L'un, Tallien, l'ancien proscripteur de Bordeaux, parce que sa maîtresse très aimée, Thérésia Cabarrus, fille d'un banquier bien introduit sur la place de Madrid, et fournisseur aux armées pourvu d'une énorme fortune, se trouvait déjà en prison comme ex-femme d'un ci-devant, le marquis de Fontenay. Elle l'assaillait de lettres et de billets dans lesquels elle reprochait à son amant sa lâcheté, ses dérobades devant le tyran : allait-il laisser porter une si charmante tête sous le couperet ? Allait-il se laisser condamner lui-même ? L'autre, Fouché, ni plus ni moins menacé que ses collègues, célèbre pour ses mitraillades de suspects dans la plaine des Brotteaux, à Lyon, n'était peut-être pas le plus courageux des Conventionnels, mais n'abandonnait à personne la palme de l'intelligence et de la finesse. Il voyait le danger, mais il sentait bien que Robespierre commençait à vaciller, que la statue s'effritait et qu'il fallait profiter du moment, peut-être fugitif, où l'on pouvait en finir. Lié d'amitié avec les hommes du Comité de sûreté générale, avec Collot et Billaud, il nouait patiemment les fils de l'intrigue, s'insinuait chez ceux de la Plaine ; partout présent et partout caché, il montrait déjà ce génie de l'action secrète qui en fera le premier policier de France et le conduira à

Tullien et Fouché

finir ses jours au service de l'empereur d'Autriche ! Étonnant destin et homme plus étonnant encore, qui joignait au plus sombre génie les qualités d'un mari exemplaire et d'un père affectueux [34] !

La crise, que chacun devinait proche, éclata le 26 juillet 1794 (8 thermidor an II). Robespierre, en bon animal politique, éprouvait la sensation d'un danger diffus mais pressant. En outre, ses informateurs ne lui laissaient pas ignorer certaines conversations, certaines tractations qui lui étaient hostiles. Il comprit qu'il fallait devancer l'assaut de ses adversaires. Mais comment agir? La prudence aurait exigé qu'il reprît en main les Comités de salut public, qu'il se réconciliât avec ceux de ses membres les moins acharnés à le détruire. Couthon et Saint-Just le comprirent, semble-t-il, et amorcèrent une ultime tentative pour replâtrer le Comité : on sait qu'ils échouèrent, beaucoup par la faute de Robespierre lui-même qui se montra intransigeant. Finalement celui-ci décida de faire confiance à sa propre éloquence, à l'ascendant qu'il exerçait sur la Convention, à l'appui de ses fidèles Jacobins. Il prenait ainsi, comme l'écrit Soboul, « un grand risque ». Il aurait fallu au moins que son action parlementaire fût appuyée par une action concertée des sans-culottes robespierristes propre à impressionner l'Assemblée : un discours, disent les spécialistes, peut changer une opinion, mais non point un vote. Mais on négligea la préparation de la manifestation populaire « spontanée », telle que Robespierre lui-même l'avait suscitée le 10 août 1792 ou le 31 mai 1793. Ou plutôt, si l'on en croit les historiens qui se sont attachés à cette étude, les artisans, les boutiquiers parisiens qui formaient l'armée traditionnelle des journées révolutionnaires, se montrèrent réticents et mous. Ils se souvenaient de Jacques Roux dans sa prison, d'Hébert sur la guillotine. Ils étaient décontenancés par l'inquisition du Bureau de police. Ils étaient irrités par la récente promulgation d'un maximum de salaires. Ils marchèrent mal ou pas du tout. L'affaire, au total, se présentait d'inquiétante façon pour Maximilien.

Le 26 juillet donc, Robespierre monta à la tribune de la Convention. Il prononça un grand discours dans lequel il dénonça les calomnies de ses ennemis, refit interminablement l'apologie de sa personne et de ses actes, se plaignit d'être menacé par *tous les poignards du fanatisme et de l'aristocratie*. Il annonça qu'il *punirait les traîtres*, qu'il épurerait les Comités et la Convention elle-même. Il ne cita aucun nom, sauf celui de Cambon qui le détestait depuis longtemps et avait fait réduire les crédits attribués au Bureau de police. La Convention tremblait. Tous les députés se sentaient menacés. On a dit et écrit qu'en désignant précisément les futures victimes de sa vengeance, Maximilien eût rassuré les autres et gagné la partie. C'est possible, mais non point certain ; il semble très aventureux de refaire l'Histoire à la convenance de celui qui la raconte. Néanmoins, l'Assemblée vota l'envoi du discours aux communes – signe d'approbation. Robespierre commit alors l'erreur de se retirer. Immédiatement, Billaud et Vadier intervinrent et firent rapporter l'envoi aux communes : signe inquiétant, qui aurait dû inciter Robespierre à l'action immédiate.

Le voulait-il ? Le pouvait-il ? Il n'y paraît point. Il comptait toujours sur son prestige pour enlever la décision. Saint-Just, soutenu par lui, devait, le lendemain, prendre la parole à son tour pour obtenir de la Convention les mesures concrètes utiles. Cependant, par précaution, Maximilien va répéter son discours devant les Jacobins. On lui fait un triomphe : Collot et Billaud présents ayant voulu protester sont hués et chassés. C'est le prélude habituel à l'effondrement de l'opposition. Sans doute Robespierre est-il réconforté et rassuré. Il ne se rend pas compte que les Jacobins ont cessé de former une société populaire depuis qu'ils ont rompu leurs liens étroits avec la sans-culotterie, qu'ils sont devenus un « club » au sens moderne du terme, c'est-à-dire une coterie fermée aux bruits du dehors, aveugle et sourde, sans fenêtre ni porte sur la rue, sans action sur les masses. Maximilien rentre chez les Duplay et se met au lit.

Saint-Just, lui, veille pour achever de rédiger son discours du lendemain. Il travaille au Comité de salut public, non loin de la table autour de laquelle discutent passionnément des faits du jour les autres membres du Conseil. Collot et Billaud arrivent, tout échauffés par la conduite que leur ont faite les Jacobins. Ils interpellent le lieutenant de Robespierre qui hausse les épaules et répond à peine. Carnot, qui paraît fort inquiet et se sent menacé, lui jette : *Tu prépares notre acte d'accusation !* Saint-Just relève sa belle tête aux longs cheveux noirs qui encadrent un pâle visage : *Oui*, dit-il, *et tu y seras traité de main de maître !* Simple bravade d'ailleurs, il l'affirme tout aussitôt, et, pour fuir le bruit qui le gêne, il va écrire dans une autre pièce. Puis, à l'aube, il monte à cheval pour se détendre, par un temps de galop, les nerfs. Pendant ce temps, Tallien et surtout Fouché multiplient les conversations, les encouragements : ils « travaillent » surtout les hommes de la Plaine. Le succès ira à ceux qui agissent, non à ceux qui écrivent et dorment.

Le 27 juillet, dès le matin, un orage commence à tourner sur Paris. Il fait une chaleur torride. Vers onze heures, la Convention entre en séance. Robespierre se fait attendre jusqu'à midi. Il paraît vêtu de son bel habit bleu de florial, calme et grave, selon son habitude. Saint-Just qui l'accompagne gravit les degrés de la tribune pour porter le dernier coup à l'opposition que Maximilien croit abattue déjà et disloquée. *Je ne suis d'aucune faction,* proclame Saint-Just en commençant, *je les combattrai toutes !* Il parle quelques minutes dans un silence relatif. Au moment où il prononce ces mots : *La confiance des deux Comités m'honorait, mais quelqu'un, cette nuit, a flétri mon cœur et je ne veux parler qu'à vous,* il est interrompu par des cris. Les conjurés ont décidé de l'empêcher de parler et d'interdire également la tribune à Robespierre. On a eu le soin de désigner, pour présider la séance, deux ennemis de Maximilien, Collot d'abord, puis Thuriot, un ancien lieutenant de Danton. Saint-Just est repoussé de la tribune. Billaud prend la parole, puis Tallien, puis Vadier, d'autres encore. Tallien agite un poignard et, dans le vacarme, on entend mal des phrases où il est question d'un *nouveau Cromwell* dont il s'est juré de *percer le sein.* Saint-Just renonce le premier : il semble las, dédaigneux de toute défense. On ne saura jamais si cette attitude lui est dictée par la peur ou bien par un méprisant renoncement à la lutte. Et, de même, on ne connaîtra jamais la vraie nature de celui que Madelin a appelé « un odieux adolescent qui ne sait pas sourire » et dont Soboul affirme que « le secret de sa réussite... est dans l'amour qu'il portait aux hommes, même les plus humbles [35] ». Robespierre, lui, se débat. Il essaie de se faire entendre sans y parvenir. On le voit à bout de nerfs, à bout de force après cinq heures de combat. Il n'est pas très sûr que furent alors prononcés de nombreux mots dits « historiques ». *(Me donneras-tu enfin la parole, président d'assassins ! Hommes purs, hommes vertueux, hommes de la Plaine, c'est à vous que je m'adresse. Tu marches sur les Girondins. Le sang de Danton t'étouffe, etc.)* Mais le fait est que toutes les haines, toutes les peurs se conjuguent pour abattre Maximilien. Il semble que chaque député à la Convention ait fait sienne la parole de Cambon, la veille, le 8 thermidor : *Il est temps de dire la vérité toute entière : un seul homme paralyse la volonté de la Convention... C'est Robespierre. Ainsi, jugez !* Finalement Louchet, député de l'Aveyron, propose l'arrestation de Saint-

Robespierre à la Convention

Just. On joint bientôt à celui-ci Dumas, le président du Tribunal révolutionnaire, Fouquier-Tinville (que ses amis sacrifient à la vengeance montagnarde), Hanriot, Couthon, Lebas (un fidèle de l'Incorruptible), Robespierre lui-même et son frère Augustin, qui demande à partager le sort des siens. Les gendarmes de l'Assemblée les entraînent pour les conduire en prison. Il est six heures du soir. Tout semble terminé. Mais la journée réserve encore des surprises.

La République est perdue, s'était écrié Robespierre, *les brigands triomphent !* Lui-même le croyait et sous-estimait l'influence qu'il exerçait dans certains milieux, notamment la Commune de Paris. Celle-ci lui était attachée. Lorsqu'on apprit à l'Hôtel de Ville comment tournait la séance de la Convention, l'insurrection populaire s'organisa. Le maire, Fleuriot-Lescot, l'agent national, Payan, tous deux robespierristes fidèles, firent sonner le tocsin pendant qu'Hanriot, le commandant de la Garde nationale, levait 400 hommes pour garder la Maison commune. Des missionnaires furent expédiés partout afin de rassembler des « sectionnaires », et la générale battit dans tous les quartiers. Mais une certaine confusion des ordres et surtout les réticences des militants révolutionnaires paralysèrent l'élan populaire. En outre, la Convention réagit énergiquement en faisant mander aux commandants des légions de la Garde l'interdiction d'obéir aux ordres d'Hanriot. Trente-deux sections s'abstinrent de déléguer leurs contingents sur la place de Grève. Seize commandants de bataillon obéirent à leur chef. On peut remarquer que les compagnies de canonniers se montrèrent les plus ardentes à secourir Robespierre. En fait, de 6 heures du soir à 10 heures, les forces insurrectionnelles se trouvèrent seules et prêtes à l'action.

Mais elles furent sans ordre ni ravitaillement. En effet Robespierre et les siens ne prirent aucune décision nette. Ils n'étaient pas entrés dans les prisons qu'on leur avait assignées, les gardiens ayant reçu de la Commune l'injonction de ne les point recevoir. Délivrés, ils avaient gagné l'Hôtel de Ville. Un « Comité d'exécution » les assistait. On discutait, on n'agissait pas. Une ébauche de marche sur la Convention tourna court. On attendait que Maximilien signât un appel à l'insurrection. Il biaisait, se dérobait. Scrupule de léga-

liste? Il se peut. Dégoût, désenchantement? Pourquoi pas?
L'indifférence semblait en tout cas avoir définitivement submergé Saint-Just, qui n'intervint ni dans la délibération,
ni dans l'action. A partir de 10 heures, les groupes de sans-
culottes commencèrent à quitter, par lassitude, la place de
Grève. Bientôt l'Hôtel de Ville ne fut plus vraiment protégé.
C'est alors qu'intervinrent les troupes de la Convention.

L'Assemblée, après avoir décidé la mise hors la loi des
exclus, avait confié à Barras l'exécution de ses ordres. Barras
réunit les sections modérées et les gendarmes de la Convention. Il dispersa sans grand mal les quelques militants qui
demeuraient sur la place et qu'une violente averse avait
trempés. Robespierre et ses amis furent surpris par l'irrup-

tion soudaine des gendarmes. L'un de ceux-ci, Meda ou Verda, tira un coup de pistolet sur l'Incorruptible qui signait un papier. La mâchoire éclata. La main glissa et ne put achever le mot qu'elle écrivait. Le Bas eut le temps de se faire sauter la cervelle. Saint-Just se laissa arrêter sans résistance. On découvrit Couthon au bas d'un escalier où il était tombé en essayant de s'enfuir : ses jambes à moitié paralysées l'avaient trahi. Il était 2 heures du matin [36].

Aucun procès n'était nécessaire, en raison du décret de mise hors la loi. On se contenta, le 28 juillet, de vérifier l'identité des condamnés. Ils furent exécutés, l'après-midi, à 17 heures. On porta Couthon sur la planche de Sanson. Saint-Just monta, impassible, les marches de l'échafaud. Robespierre périt le dernier. Le bourreau lui arracha, avant de le lier sous le couteau, le pansement qui tenait sa mâchoire, non sans doute par cruauté inutile, mais pour que le couperet fît normalement son office. Robespierre rugit de douleur. Quelques secondes plus tard, il était mort. Un gamin, cependant, barbouillait de sang la porte du logement des Duplay. Une populace imbécile hurlait de joie : c'est la même, sans doute, qui avait salué d'applaudissement la chute des Girondins, l'exécution du roi, le supplice d'Hébert, celui de Danton. La bêtise, le sadisme n'ont point de parti.

Portrait de Robespierre fait à la plume, par Prieur[?] de [?]
Grand maison, à la séance du 9 Thermidor.

(Ces mots sont de la main de M. de Rougeville à qui
Prieur de Grandmaison donna ce dessin.)

A peine mort, Robespierre est entré dans l'enfer de l'histoire. Il fut chargé par les Thermidoriens, ses vainqueurs, de tous les péchés, de tous les crimes, de toutes les fautes commis en France depuis la chute de la Gironde. On traqua ses parents, on emprisonna ses partisans et ses protégés (Bonaparte notamment), on détruisit les instruments de sa « tyrannie ». Et, de chute en chute, le régime roula jusqu'à la faillite, l'anarchie dont le Premier Consul ne le tira qu'en le transformant en une dictature de quinze années au bout de laquelle se découvrent l'invasion et l'humiliation. La disgrâce de l'Incorruptible s'est poursuivie bien au-delà encore. Si quelques fidèles lui restent, ils se taisent ou bien sont tenus dans le mépris et la suspicion publiques. Lorsque les historiens romantiques s'avisent de réhabiliter la Révolution, ils excluent de leur absolution l'homme de la Terreur et poussent sur le devant de la scène, qui Vergniaud, qui Danton : Robespierre continue à incarner le Mal dont est chargée toute vie, toute entreprise humaine. Il faut attendre le milieu du siècle pour que le bon Hamel entreprenne la révision d'un jugement dont les pièces ont été égarées ou truquées. Il y apporte la passion des croyants, mais aussi toute la maladresse des lévites. La Commune de 1871, qui se réclamait parfois de Maximilien, semble achever de le discréditer aux yeux de la postérité : à ses « crimes » de l'An II, on ajouterait volontiers les incendies au pétrole et le massacre des otages. Les meilleurs amis de la Révolution, un Clemenceau par exemple, préfèrent parler de celle-ci comme un « bloc » d'où aucune partie ne peut être dissociée, plutôt que d'entreprendre une impossible révision du procès : Dreyfus se sauve plus facilement du bagne que Robespierre de l'injuste prison où on l'a enfermé. La Sorbonne, Aulard en tête, continue à bâtir le monument qu'elle élève à son héros favori : Danton.

C'est seulement au début du XXe siècle qu'enfin se dresse un champion de l'Incorruptible : Mathiez, un athlète courtaud, sanguin, qui a du caractère et même un mauvais caractère, chercheur précis, jacobin enthousiaste, qui se prend d'une sorte d'amour pour le grand homme calomnié. Il multiplie les écrits, les conférences, écrase les contradicteurs, hausse l'histoire au niveau de la démonstration scientifique. La Revue et la Société des Études robespierristes mènent, sous sa direction, le « bon combat » et n'hésitent point à accabler, souvent injustement, les idoles d'hier pour exalter Robespierre. A l'issue de ce long duel avec l'ignorance, Mathiez triomphe et tombe en pleine gloire, au champ d'honneur de l'Université, frappé de congestion cérébrale, dans la Sorbonne même. Mais l'élan était donné : les Annales de la Révolution française relaient la Revue des Études robespierristes, Lefebvre reprend le flambeau, avec une équipe qui, selon le mot de Mathiez lui-même, « aime » Maximilien.

Mais cet « amour » n'est pas exempt de lucidité. L'homme certes a été replacé dans sa vraie lumière, dans sa véritable dignité, cependant on en découvre les limites. On s'aperçoit en particulier qu'il incarne plutôt une évolution finissante qu'il n'annonce un siècle nouveau. Il semble le dernier des bourgeois révolutionnaires plus que le prophète des sociétés modernes. On lui conteste, à juste titre, la paternité du socialisme, collectiviste ou non. Il entre dans la galerie des ancêtres de la démocratie, à son rang. Il n'en résume plus le passé et le présent. Et c'est très bien ainsi.

Que reste-t-il en vérité de lui dans notre société, dans notre État ? Bien peu qui lui appartienne en propre. Robespierre n'a pas été un penseur original et il lui a manqué, pour inscrire son action profondément dans l'histoire de la France, le temps. Son œuvre se confond avec celle de la Révolution tout entière, c'est-à-dire de groupes qui ont agi au jour le jour, animés par un idéal assez sommaire fixant les grandes lignes d'une transformation plus politique que sociale. Le bouleversement des Ordres, la montée de la bourgeoisie, les « remues » profondes de la paysannerie et même des artisans dépassaient le champ de vision et de pensée des hommes d'alors. Il n'est pas sûr que ceux d'aujourd'hui montrent plus de perspicacité ou d'efficacité.

Il demeure surtout de Maximilien une image, un exemple. Celui d'abord de la Vertu, comme il disait, c'est-à-dire d'une force d'âme étonnante au service de la confiance dans une

SOCIÉTÉ DES JACOBINS
UNITÉ LIBERTÉ, ÉGALITÉ, INDIVISIBILITÉ
DE LA RÉPUBLIQUE, FRATERNITÉ OU LA MORT

mission. Robespierre savait qu'il mourrait de mort violente pour la défense de ses idées. Il acceptait ce destin. Là se trouve peut-être son plus grand mérite. Il n'attendait aucun profit vulgaire de sa popularité, de sa suzeraineté sur l'Assemblée et les Conseils. Il croyait assurément à sa gloire, mais il identifiait sa renommée à celle de la République. Il dédaignait l'argent, les profits matériels du pouvoir et sans doute même les avantages d'orgueil qu'il procure. C'était un héros civique.

Fut-il pour autant un saint ? Certes pas. Il se montrait capable de rancune, de dissimulation, voire de cruauté. Le sort des hommes le laissait insensible, mais non point celui de l'humanité ; les Français lui parurent souvent médiocres, mais la France toujours grande. Par là, il s'inscrit dans la longue lignée des créateurs de notre unité nationale : Philippe le Bel, Louis XI, Richelieu, d'autres encore qui furent continués par les mainteneurs de cette unité : Villèle, Thiers, Clemenceau. Il ne paraît point indigne de leur être comparé, même si les événements ne lui permirent pas de s'« exprimer », comme on dit, de se « réaliser » pleinement.

Car les temps étaient durs. Les hommes s'usaient avec une effrayante rapidité. La révolution, comme la guerre, gaspille les ressources d'une communauté, et les talents. L'implacable machine montée par des apprentis sorciers broie et rejette ceux qui l'ont construite autant que ceux qui lui résistent. Il faut, pour en conserver, un moment au moins, le contrôle, le secours d'une foi : ni la puissance d'un tempérament, ni la rage de vivre, ni le « pectus » qui se traduit par l'éloquence, la santé physique ne suffisent. Comme des marionnettes, les hommes de la Révolution ont fait quelques tours, sont tombés de la scène et certains se sont abîmés dans la fosse commune du temps. Bailly, La Fayette, le Triumvirat, Brissot, Danton, Hébert, aucun n'est parvenu à maîtriser l'événement. Les plus prudents ont réussi à « vivre » et ne reparaîtront que lassés, épuisés et comme effacés par l'effort qu'ils avaient dû consentir. Sur ce champ de ruines, seul Robespierre a pu tenir quelques mois. Cette constatation donne la mesure de son génie, la force que lui donnait sa foi.

Maximilien aura longtemps encore des ennemis vigilants et des amis passionnés. Seuls les grands destins peuvent ainsi fixer, au fil des siècles, l'émotion des érudits, à défaut de celle des foules oublieuses ou ignorantes. Là se découvre exactement le crédit que l'histoire ouvre aux hommes. Il existe quelque mélancolie à s'en convaincre. Il existe aussi une satisfaction de l'esprit à constater que, d'une vie mortelle, Dieu ou la Nature, comme on voudra, retient seulement une réputation à l'échelle humaine.

ICI

ON S'HONORE

DU TITRE

DE CITOYEN.

A Paris Chez Bonneville Rue Jacques. N.º 105

NOTES

1 Surnom donné alors à La Fayette.

2 Une récente étude a montré que le père de Robespierre était mort en Allemagne et que sa tombe se trouve à Munich.

3 Le droit de « veto » était celui pour le roi de s'opposer définitivement, ou temporairement, à une décision de l'Assemblée législative.

4 Cité par GÉRARD WALTER, *Robespierre*, p. 90.

5 Cf. une étude précise de G. LENOTRE, Revue des Deux-Mondes.

6 Cette appellation, qui peut paraître étrange, s'explique par les mouvements qui agitaient la Belgique, et notamment la ville de Liège, contre la domination autrichienne.

7 Huit onces d'argent, soit 54 francs germinal (multipliez par 500 environ).

8 WALTER, *Robespierre*.

9 Les partisans de la reine, de la Cour, arboraient une cocarde noire.

10 La présidence de l'Assemblée était accordée pour quelques jours seulement.

11 On a soutenu qu'il s'était pris de passion amoureuse pour la sœur du roi.

12 En Savoie, aussi, et à Londres.

13 Prudente et pacifique, à l'exception du ministre de la Guerre, le comte de Narbonne, amant de Madame de Staël, familier de Condorcet, lui-même lié à Brissot et à ses amis.

14 Pour tout ce qui précède dans ce paragraphe, se reporter à la remarquable étude faite dans *les Annales* par MICHEL EUDE (janvier-mars 1956) et naturellement aussi à MATHIEZ (*passim*).

15 A.H.R.F. - octobre 1954.

16 Allusion à un discours d'Isnard menaçant la capitale au cas où la représentation nationale serait brimée par l'émeute.

17 Ce jour est également celui de la ci-devant Fête-Dieu.

18 P. GAXOTTE, Historia nº 129.

19 *Mémoires du Conventionnel Cassanyes*, rapporté par WALTER.

20 *Mémoires du Conventionnel Cassanyes*, rapporté par WALTER.

21 ALBERT SOBOUL, *Les sans-culottes parisiens de l'An II*.

22 Cf. l'excellente analyse de ces décrets faite par B. FAY dans *La Grande Révolution*, p. 422.

23 A. MATHIEZ, *La Révolution française*, III, 148.

24 A. MATHIEZ, *Ibidem*.

25 J. RATINAUD, *Les idées politiques et sociales de Robespierre*. Mémoire pour le Diplôme d'Études Supérieures d'Histoire. 1935. Inédit.

26 DANIEL GUÉRIN, *La lutte des classes sous la Ire République*.

27 G. LEFEBVRE, *La Révolution française*.

28 H. CALVET, *Une nouvelle interprétation de la loi de prairial*. A. H. R. F., 1950.

29 G. LEFEBVRE, *Sur la loi du 22 prairial an II*. A. H. R. F., juil-sept. 1951.

30 A. H. R. F., oct-déc. 1949.

31 On notera la curieuse ressemblance entre la glorification de concepts abstraits et la religion primitive des Romains.

32 Il y aurait beaucoup à dire sur le « caractère national » des armées de l'antiquité...

33 A propos d'un régime et d'assemblées sans rapport avec la Ire République et la Convention.

34 Cf. la belle étude de L. MADELIN sur Fouché.

35 LOUIS MADELIN, *La Révolution française*. ALBERT SOBOUL, *Saint-Just, discours et rapports*.

36 D'interminables discussions opposent ceux qui croient au coup de pistolet tiré par Meda et ceux qui tiennent pour le suicide de Robespierre, suicide manqué. Ces discussions n'ont pas un intérêt considérable. Cependant il est difficile de croire qu'un homme se tirant une balle dans la bouche puisse se manquer.

INDEX

On trouvera ci-dessous quelques indications élémentaires sur les personnages cités dans notre récit. On s'est limité, pour les plus célèbres, à la date de la naissance et de la mort.

AMAR (Jean-Baptiste-André) 145, 158.

Né à Grenoble en 1750, avocat au Parlement de Grenoble ; Conventionnel, lié aux Hébertistes.

BATZ (Jean, baron de) 123, 145.

Né dans le Gers en 1761, mort dans le Puy-de-Dôme en 1822, impénitent conspirateur royaliste ; soupçonné sans beaucoup de preuves d'être le chef des contre-révolutionnaires pendant la Terreur ; en relations mal définies encore avec les milieux extrémistes des Cordeliers.

BAILLY (Jean-Silvain) 5, 52, 55, 175. ▶

Né à Paris en 1736, décapité en 1793. Astronome et littérateur.

BARÈRE (ci-devant de Vieuzac) 114, 116, 140, 146, 156.

Né en 1755 à Tarbes, mort à Tarbes en 1841. Spécialiste des questions diplomatiques au Comité de salut public.

BILLAUD-VARENNE (Jean-Nicolas) 69, 80, 110, 115, 118, 133, 146, 155, 158, 162, 164, 165, 166.

◀ Né à la Rochelle en 1756, mort dans cette ville en 1819. Un des avocats les plus influents des Cordeliers au Comité de salut public où il entra en septembre 1793 sous la pression de l'émeute ; chargé, au Comité, de la surveillance révolutionnaire.

BARNAVE (Joseph) 28, 29, 30, 31, 39, 42, 43, 53, 55, 62, 81, 92, 125.

Né à Grenoble en 1761, décapité en 1793. Se fit connaître par son opposition à la Cour dès avant la Révolution; célèbre à la Constituante pour son éloquence; ami de Duport et des Lameth; se serait persuadé que la sœur de Louis XVI était amoureuse de lui au cours du retour de Varennes et aurait alors pris le parti de la contre-révolution (Madelin).

BASIRE (Claude) 133.

Né à Dijon en 1764, mort décapité en 1794, ami de Danton avec lequel il fut jugé et guillotiné ; considéré comme un des « pourris » de l'entourage du grand tribun.

BOUILLÉ (Francois-Claude, marquis de) 43, 51.

Né à Clusel en 1737, mort à Londres en 1800. Gouverneur de l'Alsace et de la Franche-Comté en 1789 ; général et commandant les troupes de la région de Metz en 1790 ; compromis dans la fuite manquée du roi, émigra.

BOUCHOTTE (Jean-Baptiste-Noël) 110.

Né à Metz en 1754, mort le 8 juin 1840. capitaine de hussards en 1785 ; colonel en 1792 ; commandant de la place de Cambrai ; ministre de la guerre en 1793 ; arrêté en mars 1794 ; amnistié en novembre ; lié avec les hébertistes.

BRUNSWICK (duc Charles-Guillaume de) 76, 80.

Né en 1735, mort en 1806.

CARNOT (Lazare) 114, 133, 135, 140, 146, 150, 156, 165.

Né à Nolay dans la Côte-d'Or en 1753 et mort à Magdebourg en 1823.

◀ BARRAS (Paul ci-devant vicomte de) 141, 162, 170.

Né dans le Var en 1755, mort à Chaillot en 1829 officier ; conventionnel de la Montagne ; a joué un rôle important surtout après la chute de Robespierre.

CABARRUS (comte François de) 162.

Banquier d'origine française et de nationalité espagnole dont la fille Thérésia fut successivement marquise de Fontenay, femme du Conventionnel Tallien, puis princesse de Chimay. On l'accusa, alors qu'elle se trouvait à Bordeaux avec Tallien, d'avoir fait libérer pour de l'argent ou d'autres faveurs des contre-révolutionnaires emprisonnés ; arrêtée au printemps de 1794, elle échappa de justesse à la guillotine ; elle devait devenir une des « belles » les plus célèbres du Directoire.

CAMBON (Joseph) 164, 166. ▲

Né à Montpellier en 1754 et mort à Bruxelles en 1820. Député à la Convention ; créateur du Grand Livre de la Dette publique. Technicien des Finances ; un des ennemis les plus acharnés de Robespierre.

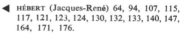

Né à Auxonne en 1763 et mort à Dijon en 1827. Ne pas confondre avec Prieur, dit de la Marne (1756-1827), né à Somme-sous et mort à Bruxelles.

Né à Metz en 1754 et mort à Bois-Roussel en 1835. Second rôle dans la tragédie révolutionnaire, devait atteindre à une véritable notoriété sous Napoléon Ier.

Né dans le Rhône en 1734. Bon administrateur, lié à la Gironde, ministre de l'Intérieur en 1792, mari de Jeanne-Manon Philippon (1754-1793), une des « précieuses » de la Révolution, égérie de la Gironde, dont le salon politique servait de lieu de rencontre pour les chefs du parti. Amie peut-être platonique de l'un d'entre eux, Buzot. Atteinte d'incontinence épistolaire et impénitente bavarde, a fait des mots célèbres jusque sur l'échafaud, démontrant ainsi un courage plus qu'estimable. Son mari se suicida de désespoir en apprenant son exécution.

Né à Soissons en 1752. Décapité le 24 mars 1794. Homme de lettres. Chargé de mission en Belgique, lié avec les Hébertistes, général en Vendée.

Vicaire d'une paroisse parisienne. Rallié dès 1791 à la Révolution. Chargé de la surveillance de Louis XVI au Temple. Officier municipal. Extrémiste et agitateur notoire. Exclu de la Commune et emprisonné pendant l'été de 1793. S'est tué d'un coup de couteau à Bicêtre le 20 janvier 1794. Un des hommes les plus importants et encore les moins connus du mouvement populaire.

Né à Decize en 1767 ; guillotiné avec Robespierre.

Né en 1752, mort en 1809. Brasseur parisien, un des chefs de tape-dur les plus redoutables de la Révolution, général en Vendée.

Né à Paris en 1867 et mort en 1820. Représentant à Bordeaux, guillotineur redoutable, un des artisans de la chute de Robespierre, époux de Thérésia Cabarrus (Cf. ce nom).

Né à Pamiers le 17 juillet 1736 et mort à Bruxelles le 14 décembre 1828, conseiller au présidial de Pamiers, député aux États Généraux ; député de l'Ariège à la Convention ; membre du Comité de sûreté générale.

Né à Limoges en 1752, décapité en 1793. Remarquable orateur de la Gironde ; détestait Madame Roland, courageux et adroit ; passe pour avoir soutenu les intérêts de la bourgeoisie commerçante de Bordeaux.

CHRONOLOGIE

1788	AOUT	8 – Arrêté du Conseil convoquant les États Généraux
1789	MAI	5 – Réunion des États Généraux
	JUIN	17 – Transformation des États Généraux en Assemblée nationale
	JUILLET	14 – Prise de la Bastille
FIN JUILLET ET		
DÉBUT AOUT		La Grande Peur
	AOUT	4 – Abolition de certains privilèges
		26 – Déclaration des droits de l'homme et du citoyen
	OCTOBRE	6 – Retour du roi à Paris
	NOVEMBRE	2 – Mise des biens du clergé à la disposition de la Nation
	DÉCEMBRE	Première émission d'assignats
1790	JUILLET	12 – Constitution civile du clergé
		14 – Fête de la Fédération nationale
	NOVEMBRE	27 – Obligation du serment pour les membres du clergé
1791	JUIN	22 – Arrestation du roi à Varennes
	JUILLET	17 – Affaire du Champ de Mars
	AOUT	25 – Déclaration de Pilnitz
	SEPTEMBRE	30 – Séparation de la Constituante
	NOVEMBRE	29 – Mesures contre les prêtres réfractaires
	DÉCEMBRE	Sommations à l'électeur de Trèves et à l'empereur Léopold
	JANVIER	
1792	MARS	1er – Mort de Léopold - Avènement de François II
	AVRIL	20 – Déclaration de guerre au roi de Bohême et de Hongrie
	MAI-JUIN	Décrets concernant les prêtres réfractaires, la garde constitutionnelle du roi et la formation d'un camp de Fédérés sous Paris
		13 – Renvoi de Roland et de deux de ses collègues
		20 – Journée révolutionnaire manquée
	JUILLET	7 – Baiser Lamourette
		11 – La patrie en danger
		25 – Manifeste de Brunswick
	AOUT	3 – Pétition des sections parisiennes demandant la déchéance du roi
		10 – Chute de la monarchie
		12 – Louis XVI prisonnier de la Commune
		23 – Prise de Longwy par les Prussiens
	SEPTEMBRE	2 – Prise de Verdun par les Prussiens
		2-5 – Massacres dans les prisons
		20 – Valmy
		21 – Fin de la Législative
		21 – Première séance de la Convention. Abolition de la royauté
		22 – Décision de dater les actes publics de l'An I de la République
	NOVEMBRE	6 – Jemmapes
		20 – Découverte de l'Armoire de fer au Louvre
	DÉCEMBRE	11 – Début du procès du roi
1793	JANVIER	15-20 – Verdict contre Louis XVI
		21 – Mort du roi
		23 – Deuxième partage de la Pologne

BIBLIOGRAPHIE

Toute étude sérieuse de Robespierre repose aujourd'hui d'abord sur le dépouillement de la collection de ses *Œuvres complètes* publiée par la Société des Études robespierristes. Malheureusement, sept volumes seulement ont paru jusqu'à ce jour. Deux volumes de *Discours* demeurent en préparation, couvrant la période de janvier 1792 à juillet 1794. Il faut également se reporter aux *Annales historiques de la Révolution française* qui contiennent de nombreuses et précieuses chroniques intéressant l'ensemble et le détail des événements.

Par ailleurs, divers ouvrages traitant de Robespierre peuvent être consultés avec fruit. On négligera les travaux de HAMEL, *Histoire de Robespierre*, qui ont vieilli, mais qui eurent le mérite de poser le problème du vrai visage de l'Incorruptible. Par contre, il faut toujours se reporter aux livres de MATHIEZ, *Les études robespierristes* (Paris, 1917-18), *Autour de Robespierre* (Paris, 1926), *Robespierre terroriste*. On consultera aussi son *Histoire de la Révolution jusqu'au 9 thermidor* (Paris, 1930).

Ne pas omettre :

– G. MICHON, *Robespierre et la guerre révolutionnaire*.
– L. JACOB, *Robespierre vu par les contemporains*.
– H. CALVET, *Les grands orateurs républicains*.

et surtout :

– G. WALTER, *Robespierre*, qui a fait un remarquable travail de dépouillement des textes, surtout pour la période de 1789 à 1792.
– J. MASSIN, *Robespierre* (1956), le plus récent des historiens de Maximilien, dont malheureusement le livre a été peu diffusé.
Pour l'ensemble de la période révolutionnaire, on consultera l'ouvrage classique de G. LEFEBVRE, *La Révolution française*, dans la collection Halphen-Sagnac, *Peuples et Civilisations ;* nouvelle édition, (P. U. F., 1953).
Enfin, toute une partie du sujet vient d'être renouvelée dans la très remarquable thèse d'ALBERT SOBOUL, *Les sans-culottes parisiens de l'an II*, Paris, 1959.

ILLUSTRATIONS

Giraudon : pp. 2/3, 27, 63, 68, 70/71, 87, 131, 170/171, 181 b, 189. - Éditions du Seuil
(Bibliothèque Nationale) : pp. 4, 19, 21, 22/23, 32, 34, 36/37, 40, 50/51, 56/57, 58, 73,
74/75, 77, 79, 82, 84, 88/89, 90/91, 94/95, 97 a, b, 98, 102, 104/105, 120, 122, 138/139,
144/145, 148, 149, 154, 161, 167, 168/169, 172, 175, 177, 178, 182 a, 187. - Bulloz : pp.
6/7, 12, 13, 48, 54, 64, 100/101, 109, 111, 113, 116, 119, 127, 134, 142, 150, 152/153, 157,
158, 163 a, b, 180 a, b, 181 a, 182 b, 183 a, b, 184 a, b. Roger-Viollet : pp. 106, 188.
Cover design by Juliette Caputo.

CE LIVRE, LE VINGT-ET-UNIÈME DE LA COLLECTION « LE TEMPS QUI COURT » DIRIGÉE PAR
MICHEL CHODKIEWICZ, A ÉTÉ RÉALISÉ PAR DENISE YORK.

TABLE

COLLECTIONS MICROCOSME
PETITE PLANÈTE

COLLECTIONS MICROCOSME
SOLFÈGES

COLLECTIONS MICROCOSME
LE RAYON DE LA SCIENCE

COLLECTIONS MICROCOSME
DICTIONNAIRES

COLLECTIONS MICROCOSME
ÉCRIVAINS DE TOUJOURS

COLLECTIONS MICROCOSME
LE TEMPS QUI COURT

COLLECTIONS MICROCOSME
MAÎTRES SPIRITUELS

ACHEVÉ D'IMPRIMER EN 1966 PAR L'IMPRIMERIE TARDY A BOURGES
D. L. 4e trim. 1960. N° 3195.2 (1147)